KB196576

부스터!

부스터!
Booster!

당근과 채찍만으로는 성과를 낼 수 없다.
먼저 인간을 이해해라!
경영은 힘을 다루는 기술이다!

• 김종수 지음 •

프롤로그 성과를 내도록 이끄는 힘

초등학교도 입학하기 전이었을 것이다. 당시 나는 지방 소도시에 살았는데 처음으로 버스를 탔다. 그때 참 오래도록 잊지 못할 신기한 광경을 보았다. 운전기사가 손으로 버스 핸들을 좌우로 조금씩 돌리니까 그 큰 버스가 움직였던 것이다. 지금도 그 버스 핸들 가운데 박혀 있던 벤츠 로고가 생생하게 기억나는 걸 보면 큰 인상을 받았던 듯하다. 그때 나는 나름 논리적으로 이렇게 결론을 냈다.

"버스는 핸들을 움직이는 힘으로 간다."

지금 생각하면 참으로 우스꽝스러운 결론이다. 하지만 자동차가 엔진의 힘으로 움직인다는 것을 모르는 어린아이에게는 지극히 합리적인 결론이었다. 기업에서 경영자로 일하면서 어린 시절에 겪었던 그 일이 자주 떠올랐다. 수많은 리더가 숨겨진 힘을 보지 못하고 눈에 보이는 힘으로만 조직을 움직이려고 했다.

골프 여제 박인비 선수는 성공의 비결이 쓸 수 있는 최대 힘의 70퍼센트만 사용하는 부드러운 스윙이라고 했다. 그렇다. 모든 운동은 몸의 힘을 빼고 부드럽게 움직이며 큰 근육의 힘을 사용하는 법을 배우는 것으로 시작한다. 그렇게 해야 축구공이나 테니스공이나 골프공을 정확하게 멀리 보낼 수 있다. 작은 힘을 내는 근육들을 쓰면 정작 강력한 힘을 내는 몸의 큰 근육을 사용하지 못하기 때문이다.

조직을 이끄는 것도 사람 몸의 힘을 다루는 것과 흡사하다. 리더가 조직을 자연스럽고 부드럽게 이끌며 조직이 가진 강력한 힘을 물 흐르듯 사용해야 탁월한 성과를 낸다. 그러나 리더가 약한 근육만 쓰면 고생은 고생대로 하는데 성과가 나지 않는다. 나는 이 책에서 실제로 현장에서 몸으로 부닥치고 실험하며 정리한 '조직의 힘'을 다루는 법에 관해서 이야기하려 한다.

국제정치학자인 조지프 나이는 진정으로 강력한 힘은 강제력 **Hard Power**이 아닌 매력 또는 자발적 지지**Soft Power**라고 했다. 그는 미국이 국제정치에서 강제력에 지나치게 의존해 진정한 힘의 원천인 자발적 지지를 잃었다고 분석한다. 조직의 리더도 강제력에만 의존하지 않고 자발적 지지를 활용할 때 지속해서 높은 성과를 창출할 수 있다.

나는 학자나 컨설턴트가 아니므로 현장의 경험적 지식을 글로 옮기는 데 어쩔 수 없는 한계와 능력 부족을 절감하였음을 고백한다. 부족한 글이나마 독자들 모두가 탁월한 성과를 내는 퍼포먼스 부스터**Performance Booster**가 되는 데 작은 도움이라도 된다면 더한 즐거움이 없겠다.

2014년 5월
김종수

Contents

Booster !

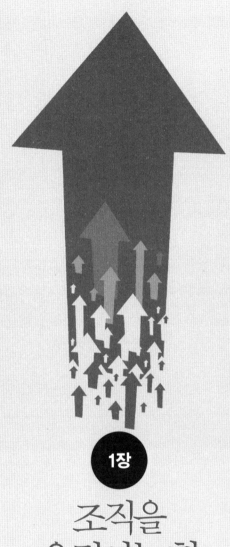

1장

조직을
움직이는 힘

기존의 하드 파워에만 지나치게 의존하지 않고
소프트 파워를 키우는 작업은
인간에 대한 심도 있는 이해에서 시작해야 한다.

01

왜 힘의 흐름을
읽어야 하는가

더 좋은 방법

직원들과 워크숍을 하며 편안한 대화의 시간을 보내던 때였다. 한 직원이 매우 궁금하다는 표정으로 질문을 했다.

"대표님은 왜 직원들에게 야단을 치지 않으세요? 누굴 야단치는 것을 본 일이 없어서요. 여태까지 모셨던 임원들은 늘 야단을 치시고는 했거든요."

그 직원은 내가 조직을 이끄는 방식이 꽤 낯설었던 모양이다.

"내가 야단을 치지 않아서 나를 우습게들 아나요?"

"아니오……."

"공부 못하는 아이가 야단을 많이 맞아서 공부 잘하게 되었다는 이야기를 들어본 적이 있나요?"

"없습니다."

"직원들이 야단을 더 많이 맞으면 일을 더 잘하게 될까요? 정 부장은 야단을 많이 맞아서 일을 더 잘하게 된 적이 있나요? 아니면 야단을 많이 맞아서 아주 유능한 인재가 되어 능력을 발휘하게 된 사람을 알고 있나요?"

"없습니다."

"그렇다면 왜 야단을 쳐야 하지요?"

"……."

"내게 아들이 하나 있어요. 이 녀석이 공부를 못해서 성적표를 받아올 때면 가끔 화가 나서 심하게 야단을 치고는 했어요. 그 녀석이 고등학교 1학년 때일 거예요. 어느 날인가 그때도 야단을 심하게 치고 나서 가만 생각해보니 '도대체 내가 수년간 야단 치고 훈계하고 협박하고 했는데 무슨 효과가 있었지?'라는 생각이 들었어요."

"……."

"그날 나는 결심했어요. 그렇게 수년간 시도해도 효과가 없는 방법을 버리기로 한 거지요. 야단치는 것은 내 감정을 폭발시킨 것 그 이상도 이하도 아니었어요. 야단치는 방법을 버리기로 했지만 아들이 공부 못해도 좋다는 뜻은 결코 아니었어요. 그런데 야단치는 것이 아닌 다른 어떤 방법을 써야 하는지는 모르겠더라고요."

"……."

"그런데 찾다 보니 방법이 있더군요. 훨씬 강력하고 좋은 방법이."

"내가 결론만 이야기해줄게요. 내 아들은 지금 대학에 진학해서 매학기 수석을 하며 다니고 있어요."

"……."

"직원들이 성과를 내도록 하는 데 야단을 치는 것이 아닌 다른 좋은 방법이 있어요. 그 방법은 훨씬 강력하고 지속성이 있어요. 나는 이 좋은 방법을 사용하는 것뿐입니다."

"네……."

그렇다. 야단치고 윽박지르고 채찍을 휘두르는 것보다 더 좋은 방법, 더 강력하고 지속성이 있는 방법이 있다. 훨씬 단기간에 성과를 내면서도 변화를 지속시키는 참으로 좋은 방법이 있다.

리더가 이러한 방법으로 일하면 채찍을 휘두르며 협박하고 야단치는 사람보다 훨씬 탁월한 성과를 내며 승승장구할 수 있다. 이러한 방식의 좋은 점은 리더도 행복하고 직원들도 행복하고 회사도 행복해진다는 것이다. 이제부터 이 방식이 무엇인지 이야기하려고 한다.

경영은 힘을 다루는 기술이다

"밥은 백성의 하늘이다."

세종대왕이 한 말이다. 왕이 백성의 하늘이라고 가르치던 시대에 세종은 참으로 백성을 움직이는 가장 강력한 힘의 본질이 무엇인지 정확하게 꿰뚫어보고 있었다. 백성에게 밥을 먹여주지 못하면 아무리 강력한 절대 군주라 할지라도 결국은 그 '밥'의 힘으로 무너지리라는 것을 알고 있었다. 그래서 세종은 백성에게 밥을 먹여주기 위해서 온 힘을 다했다. 그가 발명한 모든 천문관측기구와 편찬한 농업 관련 서적 등은 이러한 노력의 일환이었다.

결국 세종시대는 경제적으로 가장 번영했고 정권은 안정되었다. 세종의 통찰력에 감탄이 절로 나온다. 그 통찰력의 초점은 결국 힘의 흐름을 꿰뚫어보는 안목이었다. 이처럼 사람들을 움직이는 강력한 힘이 있다. 보통 그 힘은 깊숙이 숨어 있어서 그 실체를 제대로 느끼지 못하는 경우가 많다. 그러나 우리는 살면서 가끔 그러한 숨어 있던 힘이 분출되는 것을 목격하기도 한다.

2002년 월드컵 때 한국의 길거리 응원은 세계를 놀라게 했다. 전 국민이 붉은 셔츠를 입고 길거리에 모여 태극기를 흔들며 외치는 "대~한민국. 짝짝짝~짝짝!" 소리는 한반도를 뒤흔들었다. 심지어 축구가 무엇인지도 모르는 나의 열 살짜리 어린 딸도 붉은 셔츠를 입고 TV 앞에 앉아 "대~한민국!!"을 외쳤다. 모두가 알다시피 이 응원은 국가가 주도한 것도 아니고 강제동원된 것은 더더욱 아니었다. 붉은악마라는 극소수의 축구 열성 팬으로 구성된 응원단이 만들어낸 것이었다. 그들은 온 국민의 심장을 뜨겁게 불타오르게 했다.

경영현장에서 리더가 그렇게 구성원의 가슴속 에너지를 분출시킬 수 있다면 놀라운 기적을 이루어낼 수 있으리라. 그러기 위해서는 인간의 본성에 대한 깊은 통찰이 필요하다. 과연 조직 구성원인 직원들을 움직여가는 힘은 무엇인가? 그들의 가장 강력한 본능의 에너지는 어떠한 방향으로 흐르는가? 그 힘의 실체를 정확하게 이해하고 끌어내어 그 흐름에 올라타는 리더는 놀라운 성과를 거두게 될 것이다. 그러나 그 힘을 잘못 이해하거나 무시하면서 조직을 이끌려 하다가는, 초라한 성과를 내는 데 그치거나 실패를 맛보게 될 것이다.

인간은 통제받고 싶어하지 않는다

조직은 기본적으로 사람을 통제하고 억제하는 구조이다. 조직은 분업의 원리에 의해서 일이 나누어져 있다. 대기업이나 큰 조직일수록 더욱 잘게 나누어진다. 그리고 그렇게 쪼개진 일을 연결해서 조직이 원하는 것을 이루어내기 위해서 프로세스가 만들어진다. 또 정해진 프로세스대로 일이 되도록 감시하는 관리자의 존재가 필요하다.

그러한 조직 구성원의 처지에서 생각해보자. 그는 (혹은 그녀는) 조직에서 잘게 나누어서 맡겨준 일을 해야 하고 그 정해진 프로세스에 따라야 한다. 그리고 그렇게 일을 제대로 하는지 늘 감시받고 통제받는다. 일을 잘하면 상을 주지만 잘하지 못하면 벌을 받는다. 물론 그에 따른 보상으로 기본적인 경제적 필요가 충족된다. 이와 비슷한 상황에 처한 사람들이 혹시 떠오르지 않는가?

영화 「벤허」를 보면 주인공인 벤허가 노예가 되어서 로마의 함선에서 노를 젓는다. 수많은 노예가 지휘자의 북소리에 맞추어서 노를 젓는다. 지휘자의 허락하에 휴식을 취하고 노를 제대로 젓지 못하면 징벌을 받는다. 물론 힘든 일에 부려야 하니 노예에게 먹을 것은 준다. 그래도 로마 함선에서 노를 젓는 노예에 비유하는 것은 너무 심하지 않으냐고?

노예라는 신분만 잊어버리면 결국 벤허가 투입되었던 작업은 분업과 프로세스로 움직이는 협력 작업이었다. 오늘날 조직에서 일하는 구조와 같은 것이다. 함선에서 노 젓는 사람들의 가장 큰 소원이 무엇일까? 탈출이다. 노 젓는 자리에서 벗어나는 것이다. 벤허는 전투 중 배가 파괴돼 바다에 빠진 장군을 건져주면서 양아들이 된다. 이러한 탈출을 꿈꾸는 직장인을 주위에서 얼마든지 볼 수 있다.

내가 직장생활을 시작하던 시기는 1980년대 후반이었다. 신입사원 시절 어느 날 과장님들 몇 분이 함께 저녁을 먹는 자리에 동석하게 되었다.

"나는 농사나 지으러 가야겠다."

과장님 한 분이 그런 말씀을 하시는 것이 아닌가. 난 속으로 깜짝 놀랐다. 그분은 당시 회사에서 아주 잘 나가던 국제금융 전문가였는데 갑자기 농사를 지으러 가다니 무슨 소리인가? 난 "농사지으러 간다."라는 말이 회사를 그만두고 자유롭게 살고 싶다는 뜻인 줄 그때 처음 알았다. 시대는 달라졌지만 지금도 수많은 직장인들은 저녁마다 동료와 소주잔을 기울이며 "농사나 지으러 가는" 이야기를 한다. 물론 지금은 다른 표현을 사용하겠지만.

어떻게 아느냐고? 조사에 의하면 직장인들의 77퍼센트가 이직을 준비하고 있고 69.4퍼센트는 실제로 타사에 지원해봤다고 한다. 현재의 직장을 탈출하여 고통에서 벗어나 보려는 갈망의 표현이 아니고 무엇이겠는가? 벤허가 자유를 갈망하는 것이나 직장인들이 탈출을 꿈꾸는 것이나 무엇이 다른가? 모든 조직의 구조가 인간의 가장 강렬한 본능을 거스르는 방향으로 짜여지고 운영되고 있다는 뜻이다.

비록 '목구멍이 포도청'이기에 어쩔 수 없이 회사에 나와 앉아 있기는 하지만 하루하루를 고통의 연속으로 느끼는 사람들이 많다는 뜻이다. 경영학자라는 사람들, 경영 컨설턴트라는 사람들은 그렇게 짜인 조직을 잘 움직여서 성과를 내는 방법을 만들어 조직을 강화하는 특효약이라고 판매하기도 한다.

그러나 한때 유행했던 온갖 혁신방법론들이 시간이 흐르면서 잊혀지고 사라져갔다. 그러한 혁신방법론으로 기업의 성과가 획기적으로 좋아졌다는 말을 들어본 적이 별로 없다. 마치 암으로 고통받는 환자에게 일시적인 효과만 있는 진통제를 처방해준 꼴이다.

왜 그럴까? 인간의 본성에 대한 깊은 이해가 없었기 때문이다. 또 인간 내면 깊은 곳에 있는 욕구라는 힘을 끌어내어 조직 구성 및 운용에 활용하지 못했기 때문이다.

잘못된 인간관에 기초한 조직 운영 방법들

더 심각한 문제는 인간을 당근과 채찍으로 통제하고 관리할 대상으로 가정한다는 것이다. 사람이란 그냥 내버려두면 일하기 싫어하는 게으른 존재로 본다. 당근과 채찍을 적절히 사용하면 모든 열정과 잠재능력을 끌어낼 수 있다고 믿기도 한다.

이러한 인간관에 기초해서 온갖 종류의 조직관리 방법이 만들어졌다. 직원들을 '만인의 만인에 대한 투쟁'이라는 적자생존의 장으로 몰아넣는 상대평가제도가 대표적이다. 직원들을 극한 경쟁의 장으로 몰아넣으면 기업조직 전체의 경쟁력이 높아진다는 믿음에 기반한 제도이다.

또한 목표를 설정하게 하고 그 목표를 달성하는 것을 측정해서 포상을 주는 '목표관리(MBO, Management by objectives)'와 같은 도구도 같은 인간관을 전제로 한다. 그렇게 강제로 목표를 만들고 그 목표대로 관리하지 않으면 직원들이 게을러지고 일을 하지 않는다는 것이다. 이 MBO는 더욱 진화하여 성과창출과정까지도 관리하는 '균형성과지표(BSC, Balanced Score Card)'로 발전했다.

현장의 경영자나 조직의 리더들은 이런 인간관의 영향을 받아서 직원들을 적절하게 관리하고 감시해야 하는 대상으로 여긴다.

"아끼는 부하는 강하게 키워야 해."

아마도 툭하면 부하를 심하게 질책하면서 그렇게 정당화하는 보스를 참으로 많이 보았을 것이다.

직원들 가슴속 용암을 끌어내는 법

문제는 그렇게 경영계의 상식처럼 된 인간관은 인간의 본성에 깊이 새겨진 강렬한 욕구에 정면으로 반한다는 점이다. 그러한 인간관의 패러다임에 갇혀 있기에 한때 유행하였던 『칭찬은 고래도 춤추게 한다』에서 주장하는 대로 칭찬하려고 노력도 해보지만 곧 시들해지고 만다.

서번트 리더십의 개념이 유행하기도 하였지만 시간이 흐르면서 사라졌다. 현대조직의 바탕을 이루는 인간관의 틀을 깨지 않고는 그러한 좋은 생각들은 잠시 지나가는 유행 정도밖에는 되지 못한다. 부정적인 인간관을 버리지 않으면 아무리 노력해도 결과는 늘 실망스럽고 아쉬움이 남게 된다.

그렇다면 도대체 무엇을 해야 할까? 이런 조직 구조의 모든 통제 장치를 걷어내고 직원들을 내버려두면 열정적으로 일한다는 뜻인가? 아니면 그들이 그렇게 힘을 다해 일하도록 한도 끝도 없이 기다려야 한다는 뜻인가? 리더가 그렇게 마음씨 좋은 아저씨 역할을 하는 동안에 조직은 성과를 내지 못하고 망하면 어찌하라고? 리더 본인도 직장을 잃거나 회사가 도산하는 것을 보게 될지도 모르는데?

그렇게 내버려두라는 뜻이 아니다. 직원들의 가슴속에 용암처럼 끓고 있는 잠재된 힘을 끌어내라는 뜻이다. 그들의 가슴속을 들여다보고 깊숙한 곳에서 끓어오르는 욕구의 힘으로 조직을 움직이라는 것이다. 그래서 조직의 인간 본성에 반하는 속성을 중화시키고 조직 역량을 극대로 끌어올리는 방법을 찾아내자는 것이다. 그 결과 인간의 본성적 욕구가 충족되게 해서 구성원들도 좀 더 행복해지게 하자는 것이다.

"모든 인간 존재는 아름다움, 진실, 정의 등 고차원적인 가치에 대한 본능적인 욕구가 있다. 우리의 고차원적인 욕구나 동기는 생물학적인 뿌리를 가지고 있다고 볼 수 있다."

미국의 산업심리학자 에이브러햄 H. 매슬로우가 한 말이다. 그의 말처럼 직원들에게는 승진과 경제적 보상을 뛰어넘는 욕구가 분명히 존재한다. 또 그런 가치의 충족에 대한 갈망은 교과서적인 이야기가 아니라 인간의 본능이다. 이 욕구의 힘이 발현되어 성과로 연결되도록 조직이 운영될 때 탁월한 성과는 저절로 따라오는 것이다.

02

인간의 욕구를
이해하라

코카콜라는 1970년대 중반부터 소비자 선호도에서 경쟁업체인 펩시콜라에 뒤지고 있었다. 블라인드 테스트를 하면 3 대 2의 비율로 펩시가 선호도에서 앞섰다. 그러자 코카콜라는 새로운 제품을 출시하기로 하고 막대한 돈을 들여 '뉴코크'를 개발했다. 20만 명에 달하는 소비자들을 대상으로 맛을 테스트하여 기존의 코카콜라보다 더 낫다는 의견을 들은 경영진은 제품 출시를 서둘렀다.

수많은 소비자가 선호하는 맛을 가진 뉴코크가 당연히 시장에서 성공하리라는 낙관적인 기대가 악몽으로 바뀌기까지 걸린 시간은 길지 않았다. 소비자들은 코카콜라의 제품 기능, 즉 맛에 충성한 것이 아니었다. 텔레비전을 보거나 스포츠를 관람할 때 당연히 한 손에 쥐고 있는 삶의 일부로 여겼던 것이다.

블라인드 테스트와 시장조사에만 매달렸던 경영진은 커다란 실패를 맛봐야 했다. 소비자들은 블라인드 테스트와 시장조사 과정에서 자신의 내면에 있는 코카콜라의 가치를 제대로 설명하지 못했다. 눈앞에 새로운 코카콜라가 등장하자 그제야 잠재의식에 숨어 있던 코카콜라의 가치를 느끼며 "이건 아닌데."라고 표현했던 것이다.

인간의 마음은 숫자로 측정되지 않는다

숫자는 결코 시장과 소비자의 마음을 전부 보여주지 못한다. 시장에서 잔뼈가 굵은 탁월한 마케터는 고객 설문조사로 고객이 원하는 것을 전부 알아낼 수 없다는 것을 너무나 잘 안다. 고객이 자신이 원하는 것이 무엇인지 정확하게 설명하는 경우는 매우 드물다.

그래서 스티브 잡스는 시장조사를 거부했다. 그는 시장과 소비자들에게 "무슨 제품을 원하십니까?"라고 묻지 않았다. 질문을 받은 사람들은 정작 자신이 무엇을 원하는지 콕 집어 말하지 못하기 때문이다.

스마트폰은 전혀 새로운 게 아니었다. IBM은 애플보다 먼저 스마트폰을 개발했고 노키아도 스마트폰을 내놓았다. 그러나 사람들은 스마트폰의 원조를 아이폰으로 생각한다. 다른 기업들은 사용자들의 욕구나 활용 방안에 대해서는 고민을 하지 않았다. 하지만 스티브 잡스는 깊은 통찰력으로 사람들의 내면에 담긴 욕구를 읽었던 것이다. 그리고 그 욕구를 만족시키는 노력의 결정체인 아이폰을 세상에 내놓았다. 당연히 사람들은 열광적으로 반응했고 아이폰은 인류의 삶을 바꾼 제품이 되었다.

기업의 조직 운영에서도 뉴코크와 같은 실패를 피하려면 인간을 깊이 이해해야 한다. 미국 마이크로소프트는 업무 실적에 따라 1등부터 꼴찌까지 순위를 매겨 평가하던 기존의 평가제도를 폐지했다. 이른바 '스택 랭킹'이라 불리는 이 제도는 직원들을 업무성과에 따라 1~5등급으로 나누고 그에 따라 연봉이나 승진을 결정하는 방식이다. 마이크로소프트는 "조직 내에 과도한 경쟁을 일으켜 직원들 간의 협력을 저해한다는 지적이 많아 이를 과감하게 포기한 것"이라고 설명했다.

국내에서는 두산그룹이 인사고과에 따른 승진 관행을 없앴다. 점수 매기기를 통한 평가 대신 1 대 1 면담을 통해 소통 능력, 투명성, 혁신 마인드, 근성, 사업적 통찰력 등 45개 항목에 따른 주관적 평가를 도입했다..인간에 대한 피상적인 관점을 전제로 만들어진 과거 평가제도의 문제점을 기업들이 인식하기 시작했다는 신호로 볼 수 있을 것이다.

이제는 기업조직의 리더들이 피상적인 인간 이해를 넘어 스티브 잡스처럼 인간의 내면을 깊이 이해하며 조직을 운영해야 하지 않을까? 그러면 스티브 잡스의 아이폰에 견줄 만한 성과도 따라오리라.

인간은 끝없이 사랑을 갈구한다

조직 구성원들은 자신들이 원하는 것을 다 말하지 못한다. 또한 본인들의 숨은 욕구가 무엇인지 모르는 경우도 많다. 그럼에도 리더는 임무를 더 잘 수행하기 위해서 실전 심리학자가 될 수밖에 없다.

나는 사람이 가진 가장 강력한 감정은 공포라고 이해한다. 인간 존재의 심연에는 버림받을 것에 대한 두려움이 있다. 이러한 두려움의 근원을 『성경』에서는 아담과 이브가 타락하여 에덴동산에서 쫓겨난 이야기로 설명하고 있다. 낙원에서 쫓겨나서 두려움에 떠는 존재가 인간이라는 것이다. 실존철학자 키르케고르는 인간의 실존이 절망이라고 이야기한다. 인간 존재의 본질이 어린 아기가 가까이에 엄마의 보살핌이 없다고 느낄 때 공포에 사로잡혀 우는 것과 같은 절망 상황이라는 것이다.

인간은 그러한 공포를 극복하기 위해서 끝없이 사랑을 갈구한다. 사랑은 온 인류사의 모든 문학 예술작품의 원동력이 될 정도로 인간을 움직이는 강력한 감정이다. 사랑은 다른 누구와 연결되어 버림받은 공포를 극복해보려는 몸부림이기 때문이다.

조직생활에서 구성원들의 이러한 공포는 인정받고 싶은 강렬한 욕구로 나타난다. 한 매체의 조사에 따르면 우리나라 직장인 중에서 97.5퍼센트가 자신이 핵심인재라고 응답했다. 이 조사결과는 모든 사람이 자신이 유능하고 인정받을 만한 사람이라고 믿고 싶어 한다는 걸 잘 보여준다. 본인이 무능하고 그래서 가치를 인정받을 수 없는 존재라는 사실을 절대로 받아들일 수 없을 만큼 고통스러워한다는 뜻이다. 그래서 상사와 동료로부터 인정받는다는 것은 인간 존재의 심연에서 나오는 욕구가 충족되는 놀라운 경험이다. 이것이 조직에서 '인정'이 그 어떤 인센티브보다도 강력한 보상이 되는 이유이다.

인간은 자기를 알아봐주는 사람에게 충성한다

인간은 통제하지 않으면 일을 하지 않는 존재라는 고정관념은 여전히 강하다. 내가 만난 많은 경영자들도 직원들을 관리해야만 제대로 일한다고 믿고 있었다. 그래서 많은 사람들이 좌절하고 절망하며 가치를 인정해주는 조직이나 보스를 만나 뜻을 펼치기를 갈망한다. 한국 직장인들의 높은 이직 희망률이 이러한 깊은 갈망과 좌절을 반영한 것이 아니고 무엇이랴. 만약 그들의 갈망이 충족된다면 어떤 일이 벌어질까?

중국 전국시대 위나라의 오기 장군은 76번의 전투에서 무패의 기록을 세운 사람이다. 그는 '병사들이 기꺼이 전쟁에 나서게 하는 것'이 승리의 비결이라고 했다. 그는 일반 병사들과 똑같은 옷을 입고 식사도 같이했다. 잠을 잘 때는 자리를 깔지 않았으며 행군할 때는 말이나 수레를 타지 않았다.

언젠가 병사 중 한 명이 다리에 종기가 났는데 오기 장군이 입으로 빨아 고름을 빼냈다. 그 병사의 어머니가 나중에 그 이야기를 전해듣고 대성통곡하며 말했다.

"예전에 오기 장군이 그 아이 아버지의 고름도 빨아줬는데 그이는 물러서지 않고 싸우다 전사했다. 장군이 이제 내 자식의 고름을 빨아주었으니 그 애도 곧 죽을 것이다."

그 병사는 후에 용감하게 싸우다 아버지처럼 전사했다. 지금도 직장인들은 오기 장군처럼 자신의 가치를 인정해주는 조직과 상사를 간절하게 찾고 있는 것이다. 자신의 목숨까지라도 바칠 만큼 일하기 위해서.

외국사업장에 근무하는 한 직원 이야기이다. 당시 그 지역의 목재유통업은 극소수의 업자들이 시장을 장악하고 나눠 가지는 구조였다. 신규 진출 기업은 입찰해도 들러리 신세를 면할 수 없었다. 더구나 그들은 갱단과 연결되어 있으면서 기득권을 지키기 위해서는 협박, 폭행, 린치까지도 마다하지 않았다. 하지만 원가를 절감하기 위해서는 간접거래 방식을 넘어서 그 철옹성을 뚫고 목재생산자와의 입찰을 통한 직거래에 참여하는 것이 필요했다.

그 과제는 누가 봐도 쉽지 않았다. 회사에서도 처음에는 그러한 구조조차 몰랐고 위험하기에 그렇게 하라고 지시할 수도 없었다. 이런 상황에서 한 현지인 직원이 책임자로 투입되었다. 보스로부터 깊은 인정과 신뢰를 받고 있던 사람이다. 그는 지시 받지도 않은 일에 도전했고 갱들로부터 여러 차례 협박을 당하기도 했다. 하지만 결국 시장 카르텔의 철옹성을 뚫고 직거래 구조를 만들어내었다. 보스의 인정과 신뢰가 얼마나 강력하고 실제적인 힘인지를 알 수 있었다.

인간은 가치있는 일에 목숨을 건다

인간은 자기 자신이 중요한 존재, 가치 있는 존재라고 믿고 싶어 한다. 자신이 가치 있는 존재라는 확신은 사람이 심리적인 안정을 가지고 살아가는 데 절대적으로 필요하다. 심리학책들을 읽어보면 인간 마음의 놀라운 비밀이 밝혀져 있다. 인간은 자신을 정당화하기 위해 자신의 기억까지도 편집하고 조작한다. 심지어 미국의 연쇄살인범 같은 흉악범들은 죄책감은 고사하고 자신이 정당한 일을 했다고 공언하기도 한다. 그런 사람들도 나름 심리적인 안정과 자신의 가치에 대한 확신이 필요했기 때문일 것이다.

그러므로 사람은 자신이 가치 있다고 믿는 일을 하면 깊은 만족감을 경험하게 된다. 가치 있는 존재라는 것을 확인하고 싶은 욕구가 충족되기 때문이다. 안중근 의사는 대한독립을 위해 이토 히로부미를 저격하고 사형을 당하면서도 조금도 흔들림이 없었다. 대의를 위해 일한다는 확신이 뚜렷하였기 때문이리라. 일터에서도 일의 가치에 대한 확신이 매우 중요하며 강력한 보상으로 작용한다. 사람은 간절하게 자신이 하는 일이 가치 있음을 확신하고 싶어 한다. 자신이 가치 있는 일을 하고 있다는 확신이 없으면 심각한 내적 고통을 받게 되어 있다.

비록 극단적인 사례이기는 하지만, 한 이란인 고객한테서 들은 자살 폭탄 테러범에 관한 이야기를 잊을 수가 없다. 이슬람 극단주의자들의 자살 테러를 쉽게 이해할 수 없었던 나로서는 어떻게 그런 일이 가능한지가 무척 궁금했다. 그 고객은 테러리스트들이 아주 어린 나이의 고아들을 모아서 꾸준히 지하드, 즉 성전聖戰의 필요성과 희생의 가치를 가르친다고 했다.

어릴 때부터 오로지 성전과 관련한 가치 체계를 쌓아온 아이들은 나중에 폭탄을 지고 테러 대상에게 뛰어드는 것을 두려워하지 않는다. 가장 가치 있는 일을 마침내 해낸다는 자부심을 느낀다는 것이다. 그들은 자신이 하는 일이 사회적으로 진정 가치 있는 일이라고 믿기에 목숨까지도 바치는 것이다.

아무리 높은 보수를 보장해도 주류회사나 담배회사에 다니기를 꺼려 하는 사람들이 있다. 그런 회사들이 만들어내는 제품의 가치에 동의하지 못하니 온 힘을 다할 수 없다. 이런 사람은 당연히 회사에서 인정받는 존재가 되지 못한다. 담배회사에서도 그런 사실을 잘 알고 있기 때문에 비흡연자는 임원이나 간부로 채용하지 않는다는 이야기를 들은 적이 있다.

내가 경영했던 회사에서는 디자이너들이 관심 밖으로 밀려나 있는 경우가 많았다. 장기적으로는 회사에 커다란 부가가치를 창출하지만 단기적으로는 눈에 보이는 수익 창출과 연관성이 적어서 뒷전으로 밀린 것이다. 나는 가끔 디자이너들을 만나 이야기를 들어주었다. 그들의 이야기를 귀담아들었고 작업 결과물에 대한 격려를 아끼지 않았다.

그러자 디자이너들은 밤을 지새우며 일을 했다. 월급을 올려주겠다고 한 것도 아니다. 일을 제대로 하지 않으면 불이익을 당할 것이라는 엄포도 놓지 않았다. 오로지 그들의 이야기에 귀를 기울이고 그들이 하는 일의 가치를 알아주고 존재감을 인정해준 게 전부였다. 세계적인 기업 고어텍스의 CEO인 테리 켈리는 다음과 같이 말했다.

"많은 사람은 자신의 이야기가 주의 깊게 받아들여지고 자신이 가치 있는 이바지를 하고 있으며 동료가 그것을 인정해준다는 사실에서 보상받는다."

고어텍스가 가장 혁신적인 기업으로 손꼽히고 가장 일하고 싶은 기업 순위에 11년 연속 상위권을 차지할 수 있었던 것이 결코 우연이 아니었음을 알 수 있는 대목이다.

인간은 자신의 뜻대로 선택하고 싶어한다

어떤 상황에서도 자신의 뜻대로 선택하고 싶어 하는 욕구는 인간 존재의 본질에 새겨져 있다. 많은 사람이 자신의 뜻대로 '주도적으로' 일하고 싶어 하는 것은 이 때문이다. 그래서 인간은 누군가에게 지시를 받거나 강압에 의해 일하는 것을 싫어한다. 미국 독립 운동가였던 패트릭 헨리는 의회에서 "자유가 아니면 죽음을 달라."는 연설을 하며 이렇게 외쳤다.

"……쇠사슬을 차고 노예가 되어가고 있습니다. 그런데도 목숨이 그리도 소중하고 평화가 그리도 달콤하단 말입니까? 전능하신 신이시여, 길을 인도해주십시오. 여러분이 어떤 길을 선택할지 모르지만, 나는 이렇게 외칩니다. '내게 자유가 아니면 죽음을 달라.'"

지금도 일터에서 조직 구성원들이 "자유가 아니면 죽음을 달라."고 부르짖는 소리 없는 외침이 들리지 않는가? 스스로 자기의 일을 주도적으로 하고 싶다는 갈구의 부르짖음이. 인간은 누구나

다 자율적이고 주도적으로 움직이고 싶어한다. 일일이 통제받고 감시당하며 간섭당하는 것을 싫어하고 자신의 자유의지에 따라 움직이고 싶어 한다.

심리학자 에드워드 데시는 『마음의 작동법』에서 자율성은 인격체인 인간의 가장 본질적인 특성이며 가장 강력한 마음의 욕구라고 주장한다. '미운 일곱 살'이라는 말이 있다. 아이가 일곱 살 즈음이 되면 더는 부모의 말 한마디에 움직이는 것을 거부한다. 자기 마음대로 하려는 의지가 행동으로 나타나기 시작하는 것이다. 사춘기도 마찬가지이다. 부모로부터 독립된 자아를 찾겠다는 의지의 표출이다. 자기 일은 자신의 뜻대로 하겠다는 몸부림이다.

조직 구성원들도 미운 일곱 살의 본능을 가슴 깊이 가지고 있다. 적어도 자신의 일에 관해서는 권한을 위임받아 주도적으로 처리함으로써 독립된 인격체임을 확인하고 싶어 한다.

현실은 어떠한가? 조지 오웰의 소설 『1984』에는 개인의 주거공간마저도 통제와 감시를 당하는 대목이 나온다. 그 대목에서 회사생활을 떠올리는 사람들이 있을 것이다. 회사조직에서 자신의 의지로 일할 수 있는 개인의 영역은 참으로 좁기 때문이다. 그럼에도 리더는 개인의 주도성 본능을 깨워 조직의 힘으로 삼는 것이 얼마든지 가능하다.

회사에서 전 직원 1박 2일 정기행사를 준비하던 때의 일이다. 조직별 미래비전을 발표하는 것이 그 해 행사의 주제였는데 처음 기획하는데다 창의적 접근이 필요한 일이라 어려웠다. 나는 직원들에게 일을 맡겨주었다. 일의 큰 방향을 협의하고 지원과 격려를 해주었지만 간섭하지는 않았다. 직원들은 열정적이고 창의적으로 일에 몰두했다. 그 결과 감동적이었다는 칭찬을 참 많이 들은 성공적인 행사가 되었다. 한 직원의 고백이다.

"일을 하면서 그렇게 즐거울 수 있다는 것을 그때 처음 경험했어요. 회사를 위해 일한다는 느낌이 아니라 회사가 곧 우리 자신이었어요. 행사에 참여했던 동료들이 감동하며 얼싸안고 하나가 되었던 순간은 결코 잊지 못할 겁니다. 지금도 생각만 하면 그때의 전율이 생생하게 살아나요."

직원들의 주도성 본능이 살아나면 이처럼 일에 몰입하여 탁월한 결과를 만든다. 이렇게 될 때 리더는 그저 도와주고 방향을 정확하게 잡아주기만 하면 된다.

얼마나 중요한 일을 하는지 알려줘라

한 외국사업장의 현지인 직원과 대화하면서 이런 질문을 한 적이 있다. 우리의 대화는 실무 숫자 이야기를 하다가도 자주 이런 식으로 옆으로 새고는 했다.

"당신의 어깨에 몇 사람의 생존이 걸렸지요?"

"네 명인데요."

아마도 그는 가족을 떠올리고 네 명이라고 답했을 것이다.

"아니지요. 당신 어깨에는 4,000명의 생존이 걸려 있어요."

나는 그의 눈을 똑바로 보고 그가 하는 일의 결과에 따라 사업장에서 일하는 전체 직원들과 가족들 그리고 협력회사 직원들의 생존이 달려 있음을 설명했다. 그의 눈빛에서 자신의 어깨에 걸린 수많은 사람의 삶의 무게를 의식하는 것을 느낄 수 있었다. 시간이 지나며 그는 몸을 아끼지 않고 일에 매달리며 회사의 난관을 돌파하는 데 앞장섰다.

그곳 사람들은 한국 사람들과 달리 야근이라는 것을 하지 않는다. 그런데 이 직원은 밤 11시에도 일 때문에 고민하다가 자신의 보스에게 전화하여 상의할 정도가 되었다. 그가 하는 일이 얼마나 중요하고 가치 있는지 일깨워주고 자신이 얼마나 중요한 존재인지 느끼게 해준 것이 변화의 촉발점이었다(물론 그의 바로 위 보스의 깊은 인정과 신뢰가 함께 영향을 주었음은 물론이다).

조직의 가치를 인정해주는 리더의 말 한마디는 참으로 강력하다. 한 대기업 그룹사 공장 전체의 방호경비 서비스를 제공하는 회사 이야기이다. 근무여건도 열악했고 그룹 내 타사 직원들도 그 회사의 업무를 아주 부가가치가 낮은 서비스로 여기는 분위기였다. 당연히 직원들 자신도 자기 회사의 업무가 가치 있다고 여기지 못했다. 직원들은 늘 불만이 가득했고 친절하지 못하여 욕을 먹었고, 회사는 징계와 해고로 대응하는 악순환이 지속되었다. 그러나 새로이 부임한 사장은 직원들에게 이야기했다.

"이 넓은 공장을 늘 순찰하고 겨울의 칼바람을 맞아도 주머니에 손도 못 넣고 고생하는 여러분이 진심으로 존경스럽습니다. 차라리 한겨울에 눈이 쌓인 지리산에 올라가는 것이 여러분처럼 일하는 것보다 쉬울 거 같습니다. 고맙습니다."

직원들은 자신들 일의 가치를 인정하는 사장의 진심 어린 말에 감동했다. 그 후 직원들의 근무태도가 몰라보게 달라졌다. 주위에서는 어떻게 그렇게 단시간에 근무태도가 달라질 수 있느냐며 놀랐고 칭찬도 많이 듣게 되었다. 야단을 친 것도 아니고 복잡한 임무에 대한 설명을 한 것도 아니고 그저 진심으로 일의 가치를 알아주고 고마움을 표시하였을 뿐이다.

어떻게 이와 같은 변화들이 단순한 말 몇 마디에 일어나는 것인가? 인정, 격려, 그리고 가치에 대한 확신이 그들 내면의 강력한 욕구를 끌어내어 조직 변화의 동력으로 작용하도록 했기 때문이다.

인간은 대체할 수 있는 기계가 아니다

인간의 욕구에 대한 깊은 이해를 기초로 하는 조직 운영은 놀라운 결과를 가져온다. 일본에서 경영의 신으로 불리는 교세라 그룹의 창업자 이나모리 가즈오는 창업 초기 직원들이 기회만 되면 더 나은 직장을 찾아 떠나고 일에 몰입하지 못하는 상황을 보며 깊은 고민에 빠진다. 그는 이런 상황에서 회사의 성장은 불가능하다고 판단하고 고뇌 끝에 다음과 같이 핵심가치를 정하고 그 가치에 충실하게 회사를 운영하겠다고 결심한다.

"회사는 직원들의 물질적 · 정신적 행복을 증진하는 것을 목적으로 한다."

처음에는 반신반의하던 직원들도 그가 이 핵심가치를 실천하는 모습을 보이자 혼신의 힘을 다하였고 교세라는 창업 당대에 세계적인 굴지의 기업이 되었다. 직원이 진정으로 바라는 것이 회사의 존재 목적인데 어찌 모든 것을 걸지 않겠는가? 그는 인간에 대한 깊은 이해로 조직구성원들의 가슴에 잠재된 힘을 끌어냈던 것이다.

03

조직의 관습을
파괴하라

기업 조직의 현실

기업 조직은 현대의 놀라운 물질문명 발달의 주역이다. 여러 사람이 일을 나누고 프로세스로 연결해서 엄청난 제품을 만들고 서비스를 제공한다. 눈에 보이는 거의 모든 물건, 집, 생활에 필요한 모든 서비스를 제공하는 것이다. 그래서 혹자는 근대 이후 인류 최고의 발명품은 주식회사라고도 했다.

이토록 놀라운 것이 기업조직이지만 개인은 그 속에서 고통을 느낀다. 조직의 특성은 앞서 설명한 인간의 본능적 욕구에 거슬리기 때문이다. 일은 잘게 쪼개져서 자신의 일이 어떤 의미가 있는지 알기 어렵다. 일하는 방식은 프로세스와 규칙으로 정해져서 개인이 주도하는 범위가 좁다. 개인은 그저 조직의 부속품에 불과하고,

따라서 중요한 존재라고 느끼기 힘든 것이다.

함께 일하던 직원 중 몇 사람은 내로라하는 대기업에 다니다가 사직하고 내가 일하던 회사에 입사했다. 나는 남들이 부러워하는 대기업을 관두고 이직한 까닭을 물었다.

"아니, 그 좋은 회사를 왜 나온 거지요?"

"회사에서 제가 중요한 사람이라고 느끼기가 어려웠어요."

"나이가 든 부장님들을 보면 앞으로 10년이나 20년이 지나도 마찬가지 상황일 거 같았어요."

조직의 본질적인 요소, 즉 분업, 프로세스, 그리고 프로세스를 움직이기 위한 감시와 통제 속에서 구성원들은 힘들어 한다. 또한 상벌주의에 기초한 인사제도도 직원들을 힘들게 하는 요소로 작용한다. 자발적으로 위험을 무릅쓰고 일하기 어려워지니 점차 수동적인 사람으로 변해가면서 만족감을 느끼지 못한다.

더구나 회사에서 윗분들이 뚜렷한 방향도 없이 일에 지나치게 간섭하면 정말 죽을 맛이다. 회사의 높은 분들이 '대리' 혹은 '하사관'이라는 별명으로 불린다는 이야기를 들어본 적이 있지 않은가? 이렇게 되면 일할 의욕조차 잃어버리게 되기도 한다.

그 결과 조직은 점차 죽은 조직, 시키는 일만 하는 조직이 되고 직원들은 나름대로 '파랑새'를 찾아 떠나는 꿈을 꾸게 된다. 직장인의 77퍼센트가 이직을 준비하고 있다는 조사 결과는 이러한 고통이 얼마나 모든 조직에 깊게 퍼져 있는지를 보여주는 것이리라.

당근과 채찍의 한계

기업들의 인사제도의 근간은 평가와 보상제도이고 그 핵심은 '당근과 채찍'이다. 성과를 보상하되 잘못에 대해서도 분명하게 책임을 묻는 것이다. 그렇다면 성과보상과 상벌주의라는 엔진을 장착한 기업은 과연 순조롭게 운항하고 있을까?

상벌주의를 극한으로 구현한 사람이 잭 웰치이다. 그는 '활력 곡선Vitality Curve'으로 전 직원을 '상위 20퍼센트, 필수 70퍼센트, 하위 10퍼센트'로 나누었다. 상위 20퍼센트에게는 보너스, 스톡옵션, 승진으로 보상하고 70퍼센트는 상위 20퍼센트에 들도록 독려했지만 하위 10퍼센트는 해고했다. 그러한 GE의 평가제도는 미국의 많은 기업이 채택했고 전 세계 많은 기업이 따라하면서 평가제도의 바이블처럼 되었다.

그러나 그러한 평가제도 아래서 직원들은 위험을 감수해야 하는 업무를 회피하려는 경향이 심해졌다. 또한 냉혹한 평가제도가 협업의 분위기를 깨뜨리고 결국 회사를 망치는 원인이 되었다는 진단이 많았다. 마이크로소프트의 전·현직 임직원을 면담하고 자료를 조사하여 발표한 커트 아이헨월드Kurt Eichenwald는 그 병폐를 이렇게 묘사한다.

"상대평가제도가 회사를 망치고 직원들을 떠나가게 했다. 직원들의 경쟁의식을 높이려고 도입한 제도가 협업 분위기를 망쳐놨다. 직원들은 구글 등 떠오르는 IT 강자들과 경쟁하지 않고 내부 동료와 경쟁했다. 한 부서에서 성과를 내더라도 기계적 비율에 따라 하위등급 직원이 나왔다."

결국 마이크로소프트는 상대평가제도를 폐지했다. 대신에 관리자들이 직원들과 1년에 적어도 두 번 만나는 '커넥트 미팅Connect Meeting'이라는 제도를 도입했다. 커넥트 미팅은 업무 우선순위를 정하고 약속한 성과를 달성했는지 점검하는 절차이다.

엄격한 상대평가제도의 근원지라고 할 수 있는 GE도 2001년 잭 웰치의 바통을 이어받은 제프리 이멜트의 결단으로 이 제도를 포기했다. 그는 직원들에게 업무 개선점 등을 적극 피드백하는 방식으로 인사관리체계를 바꿨다. 성과보상과 상벌주의의 대표적인 제도인 상대평가제도가 가진 부작용이 작지 않다는 것을 보여주는 것이 아닐까?

상벌의 왜곡된 효과

당근의 효과는 지극히 제한적이고 경우에 따라서는 의도한 것과는 정반대의 결과를 가져오기도 한다. 많은 기업이 영업조직에 강력한 인센티브를 제시하여 월별 성과급을 약속한다. 하지만 전월의 매출을 다음 달로 몰거나 또는 다음 달 매출을 밀어내기를 통해 전월의 매출로 당겨서 성과급을 받는 경우도 생긴다.

성과를 높이기 위한 보상이 성과 창출과정을 왜곡시키는 것이다. 사람의 창의성이 문제를 회피하거나 왜곡하는 데 발휘된 꼴이다. '남양유업사태'*도 직원들이 매출증가를 위해 설계된 상벌제도에 충실하게 움직이는 과정에서 발생한 것으로 볼 수 있다.

---

* 매출목표 달성을 위해 대리점에 강압적으로 밀어내기 매출을 하던 남양유업의 관행이 폭로되어 기업 이미지에 훼손을 입힌 사건.

회사 구성원들이 당근을 얻으려다가 회사에 해가 되는 의사결정을 내리는 일이 얼마나 많은가? 나는 인수합병팀이 성과보상이라는 동기로 움직이면서 자칫하면 회사를 위태롭게 할 의사결정을 할 뻔한 경우도 들었다. 인수합병팀에게는 인수 작업 자체의 성공이 중요하다. 그것이 그들의 일이요 조직의 존재목적이기 때문이다. 하지만 회사로서는 인수한 이후에 사업 운영을 통해 영업이익을 증가시킬 수 있는지가 더 중요하다.

그런데도 인수합병팀에서는 인수 이후 경영개선을 통해서도 영업이익 발생이 어려운 기업의 인수를 추진하였다. 다행히도 내부의 반대로 인수합병건은 무산되었다. 하지만 인수가 성사되었더라면 회사에 큰 피해를 줄 수도 있었던 것이다. 기업의 운명을 좌우할 정도로 큰 사업상의 의사결정까지도 이렇게 성과보상이라는 당근에 의해 왜곡될 수 있다.

프랑스가 베트남을 지배하던 시절에 있었던 일이다. 베트남에서 쥐가 너무 들끓자 당국에서는 쥐를 잡아오면 보상을 하겠다고 발표했다. 쥐를 잡은 증거로 쥐꼬리를 당국에 제출하면 보상을 한다는 계획이 시행됐는데 이상하게도 거리에는 쥐가 전혀 줄어들지 않았다. 꼬리가 잘린 쥐들이 돌아다니기도 했다. 사람들은 쥐가 돈이 되는데 쥐가 없어지면 더는 돈을 받지 못하니 꼬리만 잘라서 당국에 제출한 것이다. 더구나 쥐를 사육하며 꼬리를 잘라 돈을 버는 사람들까지 생겨나서 쥐의 개체 수가 도리어 늘어나기까지 했다. 이처럼 당근은 원하는 것과 반대의 결과를 만드는 경우도 많다.

채찍도 당근과 마찬가지로 의도한 결과를 가져오지 못하는 경우가 많다. 내가 아는 어떤 CEO는 무척이나 엄격한 사람이었다. 그는 직원들을 무시하고 잘못을 발견하면 심하게 질책하는 버릇이 있었다. 당연히 많은 직원이 앙심을 품게 되었다.

어느 날 몇몇 직원들이 공장의 기계에 돌을 집어넣었다. 기계에 절대로 들어가면 안 되는 이물질을 투입한 것이다. 오죽 회사와 CEO가 싫었으면 그렇게 했을까. 당연히 수백억 원짜리 기계가 망가졌고 공장은 수일간 가동을 중단하였다. CEO는 경찰을 동원하여 범인을 색출하였고 함께 교대조로 근무했던 직원들까지 해고해 버렸다.

그 회사는 운영이 어려워져 결국 매각되고 말았다. 그렇게까지 극단적이지는 않더라도 질책이나 징벌은 회사조직에 해악을 입히는 경우가 종종 있다. 내가 아는 한 임원은 부하직원이 자신과 상의하여 결정을 내린 일에 대해 윗분이 심하게 질책을 하자 슬며시 발뺌했다. 자신은 전혀 모르는 일이라며 모든 책임을 부하 직원에게 돌렸다. 그 임원은 자신에게 가해질 채찍을 모면했지만 대가는 매우 컸다. 그는 당장 눈앞의 질책을 피할 수 있었지만 부하직원들로부터 신뢰를 잃었다.

그가 지휘하는 조직은 당연히 큰 상처를 입었다. 직원들은 일할 의욕을 많이 상실했고 유능한 직원들은 그런 꼴이 보기 싫어 조직을 떠나기도 했다. 미래가 없는 조직이 된 것이다.

통제의 한계

프로세스나 규정도 자발적인 조직원들의 의지를 억누르고 의도했던 것과는 전혀 다른 결과를 내는 경우가 흔하다. 인퓨처컨설팅 유정식 대표의 『착각하는 CEO』에 보면 이런 이야기가 나온다. 미국의 한 지역 소방본부는 유급 병가 일수를 1년에 15일로 제한한다는 방침을 발표했다.

그 방침은 소방관들이 제한 없는 유급 병가를 악용한다는 불신으로부터 비롯됐다. 규정을 바꿨으니 과연 소방관들의 유급 병가 일수는 줄었을까? 결과는 정반대로 나타났다. 새로운 제도가 시행된 뒤에 크리스마스나 새해 첫날에 병가를 신청하는 경우가 열 배나 증가했다고 한다.

소방관들은 자신의 직업이 공공을 위한 헌신이라는 자부심이 강하다. 그런데 소방본부에서는 이런 자부심을 헤아리지 않고 요령이나 피우는 월급도둑으로 취급했으니 얼마나 자존심이 상했겠는가. 소방관들은 자발적 헌신과 일의 가치를 인정해주지 않는 조직을 위해 충성할 이유가 없다고 생각하고 휴가 일수를 늘리며 더는 자발적인 헌신을 하지 않으려 했던 것이다. 통제나 규정은 필요하다. 그러나 통제나 규정은 자발적인 의지로 일하는 데 도움 되는 보조 수단으로 보는 시각이 필요하다.

상벌주의, 프로세스, 규정에 따른 통제의 근본적인 폐해는 직원들의 자발성을 해친다는 것이다. 당근, 채찍, 감시, 통제 등으로 조종당하는 직원은 자신의 일에 깊은 만족을 느끼지 못하고 그저 무사히 월급만 타면 된다는 생각에 빠지기 쉽다. 스스로 주체가 되지 못하기 때문에 조직과 일로부터 소외당하는 것이다. 퇴근 후 대폿집에서 소주잔을 기울이며 하는 상사에 대한 뒷말도 이런 소외로 말미암은 고통의 분출이 아닐까?

스스로 움직이는 선순환 사이클을 만들어라

상벌도 프로세스도 아니면 무얼 어떻게 해야 하는가? 사람에 대한 근본적인 관점을 바꾸는 데서 시작해야 한다. 직원들 속에 억눌려 있던 건강한 욕구들이 살아나도록 조건을 만들어주어야 한다. 그들이 지닌 고차원적인 가치를 추구하는 본능들이 살아나면 조직 운영과정에서 발생하는 부정적인 현상들이 개선되기 시작한다. 그리고 조직은 탁월한 성과를 내기 시작하는 것이다. 조직구조나 제도의 변경 없이 인간과 조직 운영에 대한 패러다임의 변화만으로도 상황은 놀라울 정도로 좋아진다.

포스코그룹의 한 회사는 1년 365일 24시간 근무하는 곳이였는데 야간 근무조의 근무자세가 불량하다는 불만제기가 끊임없이 접수되었다. 그때마다 강력한 징계로 대응하고는 했다. 당연히 한때 좋아졌다가 다시 예전 모습으로 돌아가는 악순환이 반복되면서 회사 분위기는 점점 안 좋아졌다. 새로 경영책임을 진 사장에게 간부들은 건의했다.

"자주 불시 야간점검을 해야 하고 강력하게 징계해야 합니다."

그러나 그는 직원들을 불러 모으고 말했다.

"여러분이 야간에 근무를 아주 잘한다는 칭찬을 고객들에게 들었습니다. 정말 고맙습니다. 이제부터 나는 결코 야간에 불시점검을 하지 않을 것입니다."

그는 인간의 내면에 깊이 감추어진 비밀의 힘을 알았던 것이다. 그 결과가 어떻게 되었을까? 그 후로 직원들은 야간에 너무도 생기 넘치게 일에 집중하고 고객들로부터 많은 칭찬을 듣는 근무태도를 보였다. 더 중요한 것은 그러한 변화가 지속적이었다는 점이다. 리더가 다른 시각으로 접근하는 것만으로 직원들 내면의 인정받고 싶은 욕구가 살아났고, 온갖 징계와 해고의 위협으로는 결코하지 못할 변화를 일구어낸 것이다.

조직의 혁신작업이 어느 정도 진행된 뒤에 열린 회사 워크숍에서 있었던 일이다. 나는 GE의 새 수장이 된 제프리 이멜트가 25년 동안 주당 100시간을 일했다는 내용을 소개하면서 직원들에게 질문을 던졌다.

"여러분은 과연 일주일 동안 몇 시간이나 근무를 하나요?"

나의 질문에 어느 팀 직원들은 자신만만한 표정으로 한 주에 100시간이 넘도록 일한 지가 여러 달 되었다고 하는 게 아닌가. 일요일을 빼면 주 엿새 동안 하루 평균 16시간이 넘게 일했다는 것이다. 도저히 믿기지 않아서 재차 물었다. 나는 불필요한 야근을 줄이려 애를 많이 썼기 때문이다. 또 주 1회 '가정의 날'을 지정해서 무조건 전 직원을 정시에 퇴근시켰다. 눈치 보느라 억지로 자리를 지킬까봐 내가 먼저 퇴근하고는 했다. 그런데 직원들이 자발적으로 주당 100시간을 일한다니 놀랄 수밖에.

한번은 토요일 저녁 늦은 시간에 우연히 사무실에 들렀더니 그 팀원들이 짜장면을 시켜먹으며 일하고 있었다. 그런데 주말 저녁에 회사에 나와 일하는 모습에서 지친 기색을 찾을 수 없었다. 뭐가 그리 신 났는지 모두의 얼굴은 밝고 활기가 넘쳤다.

여러 해가 지난 뒤에 그 팀의 팀장은 팀원 모두가 거의 살인적인 수준의 장시간 근무에도 너무나 행복하게 일했다고 회고했다. 아마도 본인의 의지로 밤을 하얗게 불태우며 일해본 사람은 이 말에 공감할 것이다. 육체적인 피로에도 불구하고 자신의 일에 희열을 느끼며 얼마나 행복해했던가.

강력한 동기부여를 위한 보상을 내건 것도 아니다. 그렇다고 그렇게 일을 하도록 강압적인 분위기를 만들거나 지시하지도 않았다. 다른 팀과의 직접적인 경쟁 때문에 그런 것도 물론 아니다. 회사는 직원을 관리하고 직원은 점점 더 불행해지고 무기력해지는 악순환의 고리를 끊었기 때문이다. 직원들의 깊은 갈망을 채워주는 조직 변화작업이 진행되면서 내면의 강력한 욕구가 분출되었다. 그러면서 자발적으로 일을 찾아서 하는 선순환 사이클이 시작되었기 때문이다.

04

권한을 나눠줘라

미국의 한 여성이 온라인 쇼핑몰에서 남편에게 줄 부츠를 구매했다. 그런데 주문한 신발이 도착하기도 전에 남편은 교통사고로 세상을 떠나고 말았다. 그 소식을 들은 온라인 쇼핑몰은 무료 반품을 해줬을 뿐만 아니라 조화弔花까지 보내 슬픔을 위로했다. 물론 반송료와 조화값은 회사에서 부담했다.

드라마에서 나온 이야기가 아니다. 미국 최대 온라인 신발 판매 사이트 자포스의 직원이 실제로 그렇게 일을 처리했다. 자포스 직원들은 보고나 사전결재 없이 이 정도 일은 회사비용으로 처리한다. 그 여성은 장례식에 참석한 친지들에게 이 놀라운 경험을 털어놓았으리라. 이런 특별한 고객감동 서비스를 제공하는 회사가 성공하지 않을 수 있을까?

10년 만에 매출 10억 달러(약 1조 1,000억 원)의 쇼핑몰로 성장한 자포스의 성공 신화 뒤에는 CEO 토니 셰이의 결단이 있었다. 바로 직원들에게 최대한 권한을 부여하는 것이다. 자포스는 '신발을 판매하는 회사가 아닌 고객체험 서비스를 판매하는 회사'라는 기치 아래 직원을 '자포니언zapponian'이라 부르고 고객만족을 위한 재량권을 최대한 부여했다. 토니 셰이는 미국의 케이블 TV 프로그램인 「CEO TV쇼」에 나와 "나의 경영지침의 1번은 권한위임"이라며 "권한 부여가 우리 회사 성장의 기틀이자 혁신의 바탕이 됐다."고 말했다.

그렇게 방향성과 가치가 공유된 상태에서 권한을 위임하면 직원들은 주도적이고 자발적으로 회사 전략목표를 달성해가는 데 놀라운 능력을 발휘하게 된다. '권한위임'이라는 장치가 이토록 강력한 힘을 발휘하는 이유는 무엇일까? 직원들 내면에 눌려 있던 주도적으로 일하려는 욕구가 인간의 다양한 욕구들과 연결되면서 성과를 창출하는 힘으로 바뀌기 때문이다.

사상 최대의 이익은 어떻게 만들어졌는가

내가 국내 사업장의 경영책임을 지게 되었을 때 우선 풀어야 할 어려운 과제는 수익성의 개선이었다. 이를 위해서는 제품 판매가격을 적정수준으로 회복하고 무너진 영업망을 복구해야 했다. 그런데 수입품 및 국내 경쟁사 제품과 치열한 경쟁을 하고 있던 터라 쉽지 않은 일이었다.

나는 영업본부와 함께 영업방향에 대한 명확한 그림을 그렸다. 또한 권한도 상당 부분을 위임했다. 일을 떠넘기는 것이 아니라 영업 현장을 가장 잘 아는 그들에게 운영상의 결정권한을 보장해준 것이다. 그리고 본부장의 모든 지원요청을 들어주고 본부장의 판단에 따라 대표이사가 직접 어떤 거래처라도 마다하지 않고 뛰어다니겠다고 했다. 즉 영업본부의 모든 업무에서는 본부장이 지휘자가 되고 대표이사가 후원자가 되겠다고 한 것이다.

영업본부장에게 권한을 위임하고 난 뒤부터는 지원에 온 힘을 다했다. 품질문제도 적극 해결하여 영업에 지장이 생기지 않도록 모든 자원을 집중시켰다. 권한을 위임받은 영업본부장은 물 만난 고기처럼 뛰어다녔다. 방문이 필요한 곳을 가달라고 서슴없이 요청했다. 나는 그가 요청하는 대로 움직여줬다. 간혹 시간의 제약이나 외국 출장 때문에 방문할 수 없으면 외국에서 거래처에 전화라도 걸어서 영업을 지원했다. 대표이사가 직접 전화해서 영업활동을 하니 거래처로서는 적지 않은 감동을 했는지 우리 제품을 좋은 가격에 사주곤 했다.

합의한 영업전략을 실행하는 과정에서 지휘자는 본부장이었다. 실제로 그를 보스처럼 존중하고 권한을 보장했다. 그러자 몇 달이 못 되어 눈에 띄게 성과가 개선되기 시작했다. 직원들이 그 해가 회사가 사상 최대의 이익을 낸 기적의 해라고 말한 정도의 성공을 거두었다(영업이익률이 직전 3개년도 평균에 비해 2.1배 높아졌고 영업이익은 2.5배 증가*).

---

* 공시된 감사보고서 기준

나는 영업본부장과 전략적 방향성을 일치시키고 나서 권한위임을 통해 그를 인정하고 존중하고 지원해주었던 것이다. 이처럼 주도성의 본능이 충족되면 그 어떤 보상이나 채찍보다 더욱 강력한 동기부여가 된다. 원칙과 방향이 공유된 상태에서의 권한위임은 이런 본능을 일깨우는 가장 효과적인 방안이다.

승진, 급여 인상, 양호한 인사고과 등에서 얻는 일시적인 즐거움보다 동기유발 효과가 크다. 그뿐만 아니라 자신의 본능이 충족되는 만족감은 엄청난 에너지를 발산시킨다. "1퍼센트의 영감과 99퍼센트의 땀이 내는 결과"라는 말이 실현되는 것이다. 마치 로켓엔진과 같은 폭발력을 보이며 열정을 내뿜는 사람도 많다.

나의 경험으로 볼 때 직원들을 움직이는 가장 강한 힘은 주도성의 욕구이다. 백성에게 밥을 주는 임금이 좋은 임금이다. 그것만으로도 백성이 행복해지고 왕권도 확고해진다. 주도성의 욕구를 충족시켜주는 리더도 직원들을 행복하게 해주는 좋은 리더다. 탁월한 성과를 내며 조직과 자신을 성공시킴은 물론이다.

나는 지난날의 경험에서 주도성의 욕구를 끌어내는 방법을 발견했다. 내가 취업을 할 때 중요하게 여긴 것은 물질적인 필요의 충족 이상으로 국가 경제에 이바지한다는 명분이었다. 그래서 '제철보국'의 기치를 내세운 포항제철, 지금의 포스코를 선택했다. 그곳에서 미친 듯이 일하며 참으로 깊은 만족감을 느끼는 시간을 보냈다.

보스가 많은 부분에서 권한을 위임해줬을 때는 누가 시키지 않아도 열정을 쏟아 부으며 일했다. 인정과 신뢰를 받으니 신이 났고 일의 과정을 직접 관리할 수 있으니 책임감도 커지고 도전의식은 저절로 생겼다. 일이 힘들었지만, 심리적으로 위축되거나 힘들다는 생각을 해본 적이 없는 행복한 시절이었다.

전략목표가 분명하고 권한을 위임했을 때 기적이 일어난다

권한위임은 반드시 조직이 하는 일의 방향과 가치 공유가 전제되어야 한다. 그리고 보스도 정해진 방향성과 원칙을 함부로 침해하지 않는 것이 중요하다.

이런 조건이 충족된 상태에서 권한위임이 이루어지면 직원들의 가슴 깊숙이 숨어 있던 강렬한 욕구들이 분출되면서 일에 집중하기 시작한다. 성취 지향성은 저절로 드러나고 엄청난 열정을 일에 쏟아 붓는 분위기가 조직에 퍼져 나가기 시작한다. 중견기업이든 시스템이 잘 정비된 대기업이든 마찬가지이다.

내가 한국 사업장 외에 두 개의 외국사업장 대표들을 지휘하는 사업군 총괄 CEO였던 시기에 또 한 곳의 외국사업장 경영책임도 추가로 맡게 되었다. 그곳으로 가는 긴 여정 내내 만성적자기업의 경영책임을 진 부담감이 더해 전임자의 말이 귓전을 맴돌았다.

"성과 개선 가능성이 1퍼센트만 있었다면 포기하지 않았을 것입니다."

양과 소가 1억 마리나 되는 나라이고 회사의 직원들도 집에서 양과 소를 키운다는 이곳의 분위기는 사무실에서도 느낄 수 있었다. 오후 5시만 되면 사무실이 텅 비어 적막감만 감돌았다. 회사가 어려움을 겪는데도 긴장감이라고는 찾을 수 없는 황당한 풍경이었다.

심각한 상태에 처한 회사를 살리는 데 필요한 단기적인 처방은 유통단계를 축소하여 판매가격을 올리는 것 말고는 뾰족한 수가 없었다. 내부적인 반대의 극복 등 힘든 협의와 설득 과정을 거쳐서 전략방향에 합의했다. 나는 현지법인 대표에게 이 개혁이 실패하면 전적으로 책임을 질 것이고 합의한 방향으로 가는 한 모든 권한을 보장하고 존중해주겠다고 했다. 그 후 그는 합의한 방향을 따라 많은 창의적인 노력을 기울이며 경영 개선작업을 실행했다.

사업의 경영 개선과정에서 현지법인 대표와 비용 대비 효율을 내지 못하는 영업조직의 구조조정 방안을 논의하던 중 윗분들의 심기를 건드릴지 몰라 멈칫거리는 그와 이런 이야기를 나눈 적이 있다.

"당신은 회사의 수익 개선에 필요한 것은 무엇이든지 해야 합니다. 비록 그것이 윗분들의 과거 판단에 반하는 것이 될지라도, 나는 당신을 지원하겠습니다. 당신이 회사의 이익을 위해 모든 것을 걸면 살 것이지만 눈치를 살피며 적당한 선에서 타협하여 성과를 내지 못하면 결국 죽을 것입니다. 나는 당신의 판단을 지원할 테니 당신이 결정하세요."

회사를 흑자전환시켜야 한다는 전략목표를 분명히 하고 결정 권한을 위임하였음을 재차 확인해준 것이다.

나는 그와 이렇게 사업의 혁신 개혁방향을 정확하게 맞춘 뒤부터 보고도 주 1회로 줄였다. 보고 시간에도 큰 방향에 관한 사항들과 지원 필요사항 위주로 이야기했다.

그는 점차 업무에 몰입하기 시작했고 심지어 주말이나 휴가 중에도 일을 챙겼다. 그 지역사람들로서는 아주 이례적인 일이었다. 그는 결국 1년여 만에 적자의 늪을 헤치고 회사를 흑자로 전환시키는 쾌거를 일구어냈다. 훗날 그는 주도적이고 도전적으로 일했기에 참으로 행복한 기간이었다고 회고했다.

제대로 된 권한위임은 실로 커다란 효과를 발휘한다. 선장은 배가 가고자 하는 방향으로 순조롭게 가는지 확인하며 선원들에게 맡겨야 한다. 선장이 직접 노를 젓겠다고 나서면 엉뚱한 방향으로 가다가 난파될 수 있다. 선장은 항해의 목적지와 방향을 제대로 가르쳐주고, 선원들은 각자 제 몫을 할 때라야 성공적인 항해가 보장되지 않겠는가?

05

전략적 정렬

인간은 일을 통해 자신을 증명하고 인정받으려는 본능이 강해서 권한을 맡겨주고 믿어주면 일에 몰두하게 된다. 혹자는 그 말에 의문을 제기하기도 한다. 그렇게 '마음씨 좋은 아저씨'같이 조직을 지휘해서 과연 성과를 낼 수 있겠느냐는 것이다. 도리어 강하게 직원들을 몰아치고 심하게 야단치는 소위 '못된' 상사들이 출세하지 않느냐는 것이다.

억눌려 있던 인간의 본능적 욕구를 분출시켜 조직이 강력한 힘을 내게 하려면 절대적인 전제조건이 있다. 그것은 그 힘이 분출되는 방향성에 관한 것이다. 조직이 지향하는 바, 조직의 가치와 구체적이고 뚜렷한 목표에 대한 정확한 방향의 일치가 먼저 이루어져야 한다. 방향성의 정렬이 분명하게 이루어진 상태에서만 이 힘의 분출이 성과로 이어진다.

방향성, 가치, 미션, 비전, 꿈 등 어떤 용어를 쓰든 자신이 속한 조직이 무엇을 얻으려 하며 어느 방향으로 가려 하는지 구성원이 정확하게 '알게' 되는 것이 가장 중요하다. 조직의 '핵심가치'나 '전략목표' '미션' '비전' 등을 정해서 액자에 걸어놓는 것만으로는 안 된다.

조직 방향성을 철저하게 공유하는 것은 인간의 본능을 조직의 성과로 연결하는 데 절대적인 조건이다. 나는 새로운 조직의 지휘를 맡을 때마다 고위 간부를 한두 명 조직에서 제외하는 고통까지도 감내했다. 리더와 직접 호흡하는 간부진용에서는 방향성의 일치가 더 철저해야 하기 때문이다. 어떤 대가를 치르더라도 방향성을 명료하게 하지 못하면 결코 탁월한 성과를 내는 조직을 구축하지 못한다는 것을 기억해야 한다.

여러 가지 이유로 조직에서 방향성의 정확한 정렬을 이루기가 어려운 때는 성과 창출이 점차 약해졌던 경험이 있다. 나는 "마음씨 좋은 형님 같은 리더가 되면 모든 것이 잘될 것이다."라고 생각하지는 않는다. 도리어 조직 구성원 전체를 공유하는 방향성에 맞추어 정렬시키고 그들의 욕구가 그 방향성에 맞게 분출되도록 해야 한다고 믿는다. 그래야 조직은 강력한 성과를 내는 목표 공유형 전략조직이 된다. 사실 이러한 주장은 미군이 베트남전쟁 패배 이후에 육군의 지휘체계 개념으로 채택한 임무형 지휘체계와 매우 흡사하다.

임무형 지휘체계

제2차 세계대전 중 독일은 히틀러의 판단 착오 때문에 패망했지만 작전술 레벨에서 세계 최강이었다. 미국 군사학자 트레버 드푸이는 『전쟁의 이해: 전투의 역사와 이론』에서 1943년부터 1944년에 연합군과 독일군이 벌인 81번의 교전을 분석했다.

분석결과 독일군은 전투능력에서 줄곧 연합군을 능가했다. 즉 병사의 수와 장비 그리고 작전과 지형요인 등을 동등하게 수정하며 비교하면 영국군, 미군, 독일군의 전투력은 1 대 1.1 대 1.45였다. 소련군과 비교했을 때는 1 대 2.00이었다. 이것은 같은 조건에서 전투를 했을 때 독일군 100명이 각각 영국군 145명이나 미군 132명 소련군 200명과 동등한 수준의 전투를 벌일 수 있었음을 의미한다.

이것은 독일군이 승리를 구가하던 대전 초반뿐 아니라 독일군이 항복하던 시점까지 거의 동일하게 나타났던 결과였다. 또 전쟁에 참전한 독일군, 미군, 영국군 소속 24개 사단의 전투효율을 계량적으로 분석했는데 1위부터 10위까지에서 5위를 차지한 미군 88사단을 제외하고는 모두 독일군 사단이 차지했다.

독일군은 서유럽을 6주 만에 휩쓸었고 바바롯사 작전 중에는 6개월 만에 모스크바 코앞까지 진격하였다. 그러나 압도적인 인적·물적 우세에 있던 소련군은 독일에 빼앗긴 영토를 완전히 탈환하는 데 약 3년이나 걸렸다. 엄청난 우위에 있던 영미군이 프랑스를 회복하는 데도 노르망디 상륙 후 9개월이 소요되었다. 독일군의 역량이 어느 정도였는지 알 수 있는 대목이다. 전후 군사 전문가들은 그 비결을 독일군의 '임무형 지휘체계'에 있다고 보고 자국군에도 이를 적용하기 위해 부단히 연구하고 있다.

임무형 지휘체계란 독일어로 "아우프트라크스탁틱auftragstaktik" 이라고 한다. 상급 부대는 하급 부대에 달성해야 할 목표만 제시하면서 수단과 방법에 대해서는 예하 지휘관들에게 최대한의 재량권을 부여하는 것이 핵심이다. 물론 하급 부대 지휘관들의 재량권 범위는 목표달성에 필요한 범위 내에서 주어진다. 전통적인 명령형 지휘체계에서 상급 부대가 하급 부대를 철저하게 통제하고 예하 지휘관들에게 아무런 재량권을 부여하지 않는 것과는 상당히 다르다.

이 체계는 하급 부대 지휘관이 상관의 지시 없이도 자발적이면서 능동적으로 위험을 감수하는 전술적 결단을 내리고 실행할 때 위력을 발휘한다. 즉 1초 앞도 내다볼 수 없이 시시각각 변하는 전투상황 속에서 상급자의 명령을 기다리지 않고 스스로 능동적이고 과감한 결정을 내리고 실행할 수 있어야 한다. 하급 부대 지휘관이 소극적이거나 상급 부대가 추구하는 목표에 반하는 행동을 하는 것은 철저하게 통제된다.

당시 임무형 지휘체계를 구현할 역량을 갖춘 군대는 독일군밖에 없었다. 독일군 중에서도 임무형 지휘체계를 가장 잘 활용하여 하급 지휘관에게 전술적 재량권을 보장한 대표적인 지휘관이 사막의 여우로 잘 알려진 롬멜 장군이다. 롬멜이 예하 지휘관에게 간섭하는 경우는 자신의 명령에 반하여 공격이나 기동에 소극적일 때에 한하였다. 북아프리카에서 독일군은 공격이나 대응속도가 기존 상식을 완전히 뛰어넘을 정도로 빨랐다. 영국군은 수적 우세에도 불구하고 독일군에게 매번 패하며 고전을 면치 못했다.

　세계 최강의 군대를 보유한 미국이 1975년 베트남전쟁에서 패배했다. 연구결과 미국은 패배의 원인을 '전술적 차원의 전쟁능력 부재'로 규정하였다. 베트남전쟁에서 미군은 중대, 소대단위까지 작전을 간섭당했고 현장의 지휘관들은 아무런 재량권도 없었다. 따라서 압도적인 화력에도 불구하고 월맹군에게 주도권을 빼앗긴 채 수동적으로 대응하면서 큰 피해를 보고 결국 물러나고 말았다.

　베트남전쟁 철수 후 미국은 대대적으로 육군을 개혁하면서 임무형 지휘체계에 대해 연구하였고 지휘체계를 기존의 '명령형 지휘체계'에서 '임무형 지휘체계'로 전환하였다. 그 진가는 걸프전과 이라크전에서 유감없이 발휘되었다. 지휘부는 사소한 일들은 예하 지휘관들에게 위임하고 전투현장의 결정적 국면에 관한 사항들에 집중했다. 결과는 큰 성공이었다. 미 육군은 '임무형 지휘체계'가 지휘통제 개념이라고 문서에서 명백히 밝히고 있다.

　상식적으로 군대조직이 가장 철저하게 상명하복 원칙에 따라 관리될 것 같지만, 세계 최강 미군은 이렇게 하급 지휘관들에게 전술적 판단과 행동의 자유를 부여해준다. 역사적 사례와 직접 경험한 고통스러운 실패를 통해 배운 것이다. 하물며 전시상황만큼이나 시시각각 변하는 현대의 경영환경에서 군대조직보다 더 복잡한 일들을 수행하는 현대의 기업조직이 명령형 지휘체계로 최고의 효율을 낼 수 있겠는가?

임무형 지휘체계의 전제조건

임무형 지휘체계가 제대로 작동되기 위한 절대적인 전제조건이 있다. 예하 부대의 지휘관들이 상급 부대의 전략목표를 아주 정확하고 깊이 있게 이해하고 공유하고 있어야 한다는 것이다. 명령에 대한 무조건적인 복종이 무엇보다 중요한 군대조직에서 상급자의 명령이 현장에서 하급자의 잘못된 판단 때문에 무시된다면 이는 심각한 문제가 될 수 있다. 이러한 문제점을 극복하는 방법이 바로 상급 부대 전략목표에 대한 철저한 이해인 것이다.

제2차 세계대전을 일으킨 독일군은 사관후보생 시절부터 대대장 수준의 전투부대를 지휘할 수 있는 전술교육을 받았다. 이런 교육을 통해서 모든 독일군 장교는 상급 부대 지휘관 수준의 역량, 리더십, 안목을 키웠다. 하급 부대 지휘관들도 상급 부대 지휘관 수준으로 전략에 관한 실전적 이해 능력을 키우지 못하면 임무형 지휘체계가 제대로 작동될 수 없기 때문이다.

또한 임무형 지휘체계는 개방적인 의사소통이 가능한 문화와 상하 간의 신뢰가 있어야 제대로 작동된다. 우리가 자주 보는 제2차 세계대전을 다룬 영화에는 독일군이 아주 경직된 상명하복의 조직으로 그려진다. 하지만 많은 연구에 의하면 당시 독일군 조직은 고위 장성들의 성향에 따라 차이는 있었지만 다른 나라 군대들보다 훨씬 개방적이고 덜 권위적이었다. 연구, 토론, 비판이 그 어느 나라 군대보다도 자유로웠다. 따라서 기존 전술의 문제점은 하급 부대 지휘관들에 의해서 쉽게 개선될 수 있었다.

독일군 가운데서도 젊은 장군인 롬멜이 뛰어난 군사적 성공을 거둔 것은 개방형 소통문화를 만들고 목표 공유형 전략조직 형태로 부대를 운영했기 때문이다. 심지어 미군 장성들조차도 군인으로서의 롬멜을 존경했다는 기록이 있을 정도로 그 성과는 탁월했다.

기업에서 임무형 지휘체계를 구현하기 위해서는 개방적인 분위기에서 조직의 전략적 목표를 깊이 공유해야 한다. 공유된 목표를 철저하게 이해하고 소화하도록 직원들을 육성하는 것도 필요하다. 이제부터 어떻게 이러한 '임무형 지휘체계'와 유사한 지휘 시스템이 작동되는 조직을 만들 수 있는지 설명하고자 한다.

물론 현장에서 이러한 지휘 시스템이 구현되기 위해서는 많은 전제조건이 충족되어야 하고 집중적인 노력이 투입되어야 하므로 완벽하게 구현하기는 쉽지 않다. 그러나 그러한 과정이 진행되기만 해도 눈에 띄는 성과들이 나타나기 시작한다. 나는 약 6개월 정도의 집중적인 노력으로도 상당한 조직상의 변화가 일어나는 것을 직접 경험했다. 시간적인 제약이나 기타 이유로 리더가 제한적인 노력밖에 기울이지 못하면 효과 또한 부분적으로 나타난다.

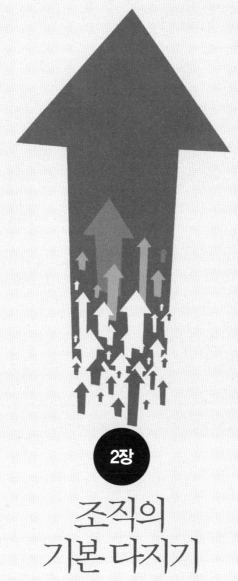

2장

조직의
기본 다지기

조직의 힘을 부드럽게 움직이기 위해 필요한 워밍업 단계이다.
쉽고 간단하지만 실행할 때 그 효과는 신속하게 나타난다.

01

인간 내면의 소리에
귀를 기울여라

일과를 마치고 직원들과 함께 맥주잔을 기울이던 날이었다. 이런저런 이야기를 나누는데 한 젊은 직원이 곁에 다가와 귓속말로 속삭였다.

"오늘 업무 회의 중에 저에게 의견을 말해보라고 하셨죠? 그때 제 이야기를 진짜 듣고 싶어 하신다는 것을 느끼고 정말 감동해서 울음이 나올 뻔했습니다. 지난 몇 년간 회사에 다니는 동안 어리고 경험이 없다고 저를 무시하며 그 누구도 제 이야기를 들으려 하지 않았거든요."

자신의 이야기를 들어보겠다는 나의 말에 울 뻔했다는 것이다. 그 직원처럼 많은 직원들이 자신의 이야기를 진심으로 들어주기를 바라고 있다. 마음속 깊은 갈망을 누군가 받아주기를 기대하는 것이다.

새로운 패러다임을 적용하여 조직을 혁신하는 것은 직원들의 속 내를 듣는 것에서 시작해야 한다. 문제투성이의 조직은 더욱 그렇다. 회의와 같은 공적인 자리보다 개별적인 면담을 통해 듣는 것이 좋다. 물론 개별 면담에서 속마음을 다 털어놓는 경우는 드물다. 그러나 포기하지 않고 꾸준히 듣다 보면 직원들이 마음을 열기 시작한다.

직원들에게 귀를 기울이는 행위 자체가 직원들의 마음을 치유하는 효과가 있다. 그들의 정서를 긍정적으로 바꾸고 존중받는다고 느끼게 한다. 또한 보고서나 데이터베이스에서는 찾을 수 없는 정보를 얻을 수 있어 더 정확하게 업무와 상황을 파악하는 소득도 있다. 이 과정에서 얼마나 많은 중요한 지식과 정보가 직원들의 머릿속에 묻혀 있는지 새삼 확인할 수 있을 것이다.

아무리 뛰어난 리더라고 해도 현장의 모든 일을 일일이 알 수는 없다. 그렇다고 평소에 사사건건 보고를 받는다고 해서 모든 정보와 문제를 파악할 수도 없다. 현장의 문제를 곧이곧대로 보고하는 사람은 없다. '사실'은 보고 과정에서 다양한 사람들의 '주관적 견해'가 개입되어 왜곡된다. 그런데 직접 만나 여러 번 반복하며 직원들의 이야기에 귀를 기울이다 보면 실상의 퍼즐 조각을 맞출 수 있는 확률이 높아지는 것이다.

혁신은 존중과 경청에서 시작된다

"아무리 시끄러운 공간이라고 해도 직원과 이야기할 때는 우리 둘만 있는 것처럼 상대방을 대한다. 주변의 모든 것을 무시하고 그 사람만 쳐다본다. 고릴라가 들어와도 나는 신경 쓰지 않을 것이다."

메리 케이 화장품의 창립자인 메리 케이 애시 회장이 한 말이다. 그녀는 직원들이 가슴에 '나는 존중받고 싶다'는 글귀가 새겨진 목걸이를 차고 있다고 여기며 이야기를 듣는다고 했다. 그래서 시끌벅적한 가운데 이야기를 해도 귀를 기울여 직원들의 마음을 열게 하는 것이다.

직원들의 이야기를 들을 때 존중과 경청의 자세를 유지하려고 무척 애를 써야 한다. 질문은 짧게 하고 직원들이 미처 말하지 못한 가슴속의 울림과 목소리에 감응하려고 노력해야 한다. 그러다 보면 다음과 같은 소리 없는 외침이 가슴에 깊은 떨림으로 다가올 것이다.

"나도 성장하고 더 배우고 싶고 의미 있는 일을 하고 싶어요."

직원들의 이야기를 듣는 것은 그들의 내면에 담긴 소리를 밖으로 끌어내는 작업이다. 스스로 느끼지 못할 만큼의 억압당한 내면의 갈망을 끄집어내서 변화의 힘으로 만드는 과정이다. 마치 계곡에서 졸졸 흐르는 시냇물이 도도히 흐르는 강의 흐름으로 바뀌듯 듣기를 통해 직원들의 갈망이 표출되고 모여서 변화의 흐름으로 만들어진다.

개방적인 의사소통에서 경쟁력이 나온다

기업에서 직원들의 목소리를 듣겠다며 가지는 회식자리가 고통의 자리인 경우가 많다. 의사소통의 장인 회의시간도 마찬가지이다. 딱딱한 분위기에서 회의 구성원들이 업무보고를 하면 리더가 일방적으로 지시하거나 야단을 치는 게 전부인 경우가 많다. 한 사람이 질책당하는 동안에 다른 참석자는 자신의 보고사항만 신경쓸 뿐 어떤 이야기가 오고 가는지 관심도 없는 것을 어렵지 않게 볼 수 있지 않은가? 자신의 보고가 끝나면 아예 긴장이 풀려 딴짓도 한다. 그런 식이라면 차라리 한 명씩 불러서 보고를 받고 지시를하면 될 일이다. 바쁜 사람들을 불러모아 놓았는데 정보 공유나 의견을 주고받는 것도 없는 것을 회의라 불러야 할까?

유럽 전역에 공장을 가지고 있는 유럽의 한 거래처는 글로벌 마케팅센터를 네덜란드에 두고 있었다. 한번은 네덜란드를 방문하여 마케팅센터 책임자에게 생산기지가 전혀 없는 네덜란드에 마케팅센터를 두어 운영하는 이유를 물었다. 그의 설명은 이러했다. 네덜란드인들은 사무실에서 늘 차를 마시며 소소한 일상사부터 많은 것을 미주알고주알 이야기하는 문화적 전통이 강하다.

심지어 동료직원의 집에 있는 숟가락 개수까지 알 정도다. 그렇게 네덜란드 사람들은 편안한 소통이 몸에 배어 있다. 따라서 전 유럽의 국가에 있는 생산기지를 연결하고 또 전 세계에 있는 고객들을 연결하는 마케팅센터를 세우는 데는 네덜란드만 한 곳이 없다는 것이다. 그래서 살펴보니 유수의 글로벌 기업 가운데 유럽의 소국 네덜란드에서 시작된 기업들이 뜻밖에 많았다. 개방적인 의사소통이 기업 경쟁력에 이토록 강력한 영향을 미치는 것이다.

나는 여기서 아이디어를 얻어 조직 구성원들과 티타임을 가지며 편안한 대화를 자주 나누었는데 아주 효과적이었다. 보스만 말하는 자리가 아니라 직원들도 편안하게 속을 털어놓을 수 있는 자리를 만들어보면 좋다. 티타임은 차 한 잔씩 마시며 업무와 상관없는 소소한 개인사를 이야기하는 것으로 시작하면 된다. 잡담이나 수다를 위한 자리를 만들라는 것이다. 처음에는 보스를 앞에 두고 사무실에서 편하게 잡담을 나누는 것이 익숙하지 않아 쉽게 입을 떼지 못하는 경우도 많으리라.

하지만 티타임을 꾸준히 이어가면 직원들의 태도도 부드러워진다. 친한 동료끼리 담배 한 대 피우거나 소주잔을 기울이면서 수군대는 진짜 이야기를 티타임에서 나누기 시작할 것이다. 편안한 잡담으로 시작해도 어차피 회사와 관련한 잡담이 대부분이 될 것이다. 이런 형태의 티타임은 진솔한 업무 이야기를 편안하게 나눌 수 있는 개방적인 분위기를 만드는 데 유용하다.

개방적 문화에서 임무형 지휘체계가 작동된다

시간이 지나면 티타임의 효과가 서서히 나타난다. 공식적인 회의에서는 하지 않는 뒷이야기를 직원들끼리 가볍게 나누다가 정보와 아이디어의 교환이 이루어지기도 한다. 잡담하면서 자연스럽게 서로의 일에 관하여 깊이 알고 함께 고민하게 되기도 한다. 또 풀지 못해 애쓰는 문제에 대한 답도 그런 자리에서 찾게 되는 기대 이상의 소득도 얻을 수 있다.

회사의 핵심가치 때문에 여러 달 다양한 실험을 하면서 최적의 답을 찾아 고민하던 와중이었다. 티타임 중에 한 직원이 고민의 실타래를 푸는 아이디어를 제시했다.

"현재 회사에 면면히 흐르는 CEO의 생각을 구체적으로 표현하여 핵심가치로 정리하는 게 어떨까요?"

그의 아이디어는 설득력이 있었다. 어차피 조직 전체의 핵심가치를 제정하는 것이라면 최고경영자의 생각이 반영된 게 더 실천 가능성이 높지 않은가? 실천되지 않는 핵심가치는 아무 소용도 없지 않은가? 그는 그러한 아이디어를 어느 잡지의 칼럼에서 얻었다고 했다. 중요한 점은 그가 핵심가치라는 주제를 놓고 고민하던 책임자가 아니었다는 점이다. 이렇게 티타임이라는 편안한 자리에서 그동안 함께 고민하던 문제에 대한 좋은 해결책을 얻게 되었던 것이다.

나는 팀장 티타임 말고 본부 내 전체 팀원들의 티타임도 주 1회씩 가졌다. 티타임을 하는 동안 웃음이 끊이지 않을 정도로 편안한 자리로 만들었다. 개인사에도 서로 관심을 두게 됐고 격려와 칭찬을 아끼지 않는 분위기가 만들어지자 팀워크도 좋아졌다. 다른 팀의 직원들과도 서로 친해졌다. 예전에는 점심을 먹으러 갈 때 늘 같은 팀 직원들끼리 갔는데 다른 팀의 직원들과도 함께 어울려 식사하는 모습이 눈에 띌 정도로 늘어났다.

회의도 누구나 다 자유롭고 편하게 이야기할 수 있는 자리를 만들어야 한다. 회의 자리에서는 가능하면 노트북도 펴지 않고 메모도 최소한으로 하는 것이 좋다. 원래 듣기 싫은 말을 듣거나 딴짓을 할 때 메모를 열심히 하는 척하지 않는가? 이런 노력을 통해 진짜를 들을 수 있는 회의다운 회의가 점차 가능해진다. 임무형 지휘체계가 제대로 작동되기 위한 개방적 문화를 만들어내는 첫 단계는 이렇게 시작된다.

마음껏 이야기하는 문화를 만들어라

직원들은 리더에게 두려움 없이 말하는 것에 익숙하지 않다. 소신껏 말했다가 리더의 눈 밖에 나서 불이익을 당할지 모른다는 두려움이 크다. 개별 면담은 비밀을 보장해주고 어떤 불이익도 없다는 것을 보여줘야 하는 등 효과를 보는 데 시간이 걸린다. 티타임의 경우도 꾸준한 반복으로 신뢰가 쌓였을 때 비로소 속내와 의미가 담긴 이야기를 들을 수 있다. 그래서 이와 함께 익명성을 보장하는 워크숍을 병행해야 한다.

워크숍의 1차 목표는 직원들이 하고 싶은 말을 하게 하는 것이다. 예컨대 '우리 팀(본부나 회사)의 앞으로의 방향'이라는 주제를 가지고 소그룹으로 나누어 토론을 시켜서 마음껏 말하는 식이다. 그리고 그룹별 발표를 할 때 발표자는 익명성이 보장된 상태에서 가감 없이 결과를 발표하도록 격려해주어야 한다. 마치 미국의 마을공동체에서 자유로운 토론을 하던 '타운미팅'의 장점을 살린 잭 웰치의 '타운미팅'처럼 말이다. GE의 타운미팅은 토론과 의사결정에 하부 조직원까지 참여하여 권한을 행사할 수 있도록 했다.

익명성이 보장된 소그룹 토의와 발표도 그렇게 운영해야 한다.

워크숍의 발표를 통해 두 가지 목표를 달성할 수 있다. 첫째는 직원들이 내면에 쌓인 울분과 절망을 토해내는 것이다. 직원들은 주의 깊게 들어주고 공감해주는 것만으로도 정서가 치유되면서 긍정적으로 변한다. 둘째는 그들의 목소리를 통해 억압당했던 욕구, 즉 즐겁게 일하고 중요한 존재로 인정받고 싶다는 욕구를 일깨운다. 그렇게 각성이 된 욕구가 자연스럽게 일에 적용이 되는 흐름을 만들어내는 것이다.

워크숍이나 개별 면담에서 젊은 직원들, 직급이 낮은 직원들도 회사를 위해 좋은 이야기를 마음껏 이야기하는 문화를 만드는 게 중요하다. 젊은 직원일수록 더 빨리 이렇다 할 계산이 없이 솔직하게 이야기를 털어놓는다. 찾기 어려웠던 바닥의 문제들도 그만큼 빨리 드러나게 된다.

워크숍과 개별 면담에서 나온 이야기들을 듣고 실제 현장과 업무에 반영하면 회의시간에 침묵만 하던 사람들도 하나둘 입을 열기 시작한다. 개별적으로 만났을 때 좋은 제안을 하는 경우도 차츰 생길 것이다. 그렇게 체계적인 듣기를 통해 그들의 열망을 현장에 반영하면 '작은 불씨가 온 들판을 사르듯' 조직의 전체 분위기도 긍정적으로 바뀌게 된다.

회의뿐만 아니라 식사 때도 회사일을 편하게 말하는 분위기를 조성하려고 애써야 한다. 무슨 말을 해도 야단치지 않는 것이 중요하다. 리더의 생각과 달라도 그냥 두는 게 좋다. "그건 아냐!"라고 말하는 순간 직원들의 입은 다시 닫히고 입을 떼지 않던 직원들은 아예 문을 꽁꽁 걸어 잠근다. 말할 수 있도록 분위기를 만들어가는 것에 집중해야 한다.

조직이 지향하는 방향을 명확히 공유하라

직원들이 거침없이 이야기하게 하려면 듣기 못지않게 방향의 공유가 매우 중요하다. 말하기가 어려운 동료에게 더군다나 보스 앞에서 이야기하라고 하려면 조직이 지향하는 방향이 뚜렷해야 한다. 공유된 방향성이 있어야 그 방향에 맞으므로 과감하게 말을 할 수 있고 들어줄 수도 있기 때문이다.

영업본부 직원들은 평소 품질문제로 고통을 겪고 있었다. 고객의 모든 클레임을 상대해야 하기 때문이다. 그러나 공개적인 회의에서는 정작 이 문제를 거론하지 못하고 있었다. 생산본부 직원들의 기세에 눌려 한마디도 하지 못했던 것이다. 영업본부와 생산본부의 이런 관계는 오랜 전통처럼 이어져왔던 탓에 거침없이 말하는 것을 장려해도 쉽게 달라지지 않았다.

그러나 회사의 주요 경영목표 중 하나로 품질 개선을 포함시키고 방향을 뚜렷이 공유하자 분위기가 점차 바뀌었다. 영업본부 직원들이 공유된 방향에 따라 거침없이 회의 석상에서 품질문제를 거론하기 시작한 것이다. 생산본부 직원들도 이미 같은 목표를 공유하고 있었으니 과거와 달리 긍정적이고 적극적으로 제기된 문제에 반응하며 해결책을 찾았음은 물론이다.

02

직원들을 변화의
주역으로 세워라

조직의 변화를 시도하는 리더는 직원들을 일의 '주역'으로 만든 다는 생각을 잊지 않는 것이 중요하다. 모든 변화에는 주체와 객체 가 있다. 그런데 직원들을 변화의 주체로 만들어버리면 저항하는 세력에서 변화의 실행에 강력한 힘으로 바뀐다. 직원들은 변화의 주체가 되면 자신이 중요한 존재로 인정받는다고 느끼고 만족감 을 표시한다. 그뿐 아니라 스스로 능동적으로 움직이면서 변화의 확산에 아주 중요한 고리 역할을 한다. 그들 내면의 강력한 본능인 주도성의 욕구가 충족되면서 일에 몰입하게 되기 때문이다.

"당신이 이 조직의 책임자라면 무엇을 할 것인가?" "당신이 이 본부(팀)의 본부(팀)장이라면 이 회사의 CEO라면 무엇을 할 것인 가?"

직원들 워크숍의 초기 주제로 아주 유용한 화두이다. 이런 질문을 던지고 소그룹으로 쪼개어 토론하고 발표하게 해보라. 익명성을 보장하면서 그런 작업을 몇 차례 하면 처음에는 다양한 의견과 요구사항이 쏟아져 나온다. 그냥 들어주기만 해도 되는 것들이 있지만 즉시 실행해도 좋은 아이디어도 있을 것이다.

아무리 생각해도 불합리한데 위에서 시킨 일이라 하는 수 없이 반복적으로 해온 일들을 없애달라는 요청도 있을 것이다. 이런저런 이유로 보고도 못 본 척하고 지나가야 했던 것들을 고쳐달라는 것들도 있을 것이다. 그런 경우 그 자리에서 토론하고 직원들이 직접 실행계획을 잡도록 하면 더욱 효과적이다.

불필요한 보고와 회의는 과감하게 정리하라

한 사업장의 책임을 맡아서 첫 워크숍을 했을 때이다. 직원들은 회의에 불려다니고 보고서를 만드느라 정작 일할 시간이 없다고 호소했다. 기존의 공식 조직 외에 별개로 정기회의체가 여러 개 운영되고 있었고 직원들은 수많은 회의에 뛰어다니며 보고서를 만드느라 죽을 맛이었다. 영업사원은 고객을 만날 틈이 없었고 생산본부 직원들은 공장 생산현장에 가서 업무를 챙길 틈도 나지 않는다고 했다. 전쟁이 터졌는데 전략논의만 하고 전황보고만 하느라 적이 코앞에 닥쳐도 총을 잡지도 못하는 꼴이었다.

나는 직원들이 하고 싶은 대로 불필요한 보고서나 회의를 없앨 계획을 함께 논의하여 결정하라고 권한을 주었다. 직원들은 자기들끼리 모여 앉아서 서로 논의하며 회의와 보고서 중 꼭 남겨야 할 것과 아닌 것을 직접 구분하여 정리했다. 그랬더니 거의 90퍼센트에 가까운 회의와 보고서가 불필요하거나 적절치 않은 것으로 드러났다. 남은 보고서도 파워포인트 대신 실무진에서 직접 쓰는 실무 자료로 대체하기로 했다. 이러한 결정은 즉시 성공적으로 실행되었다. 직원들이 변화의 객체가 아닌 주체가 되어서 움직이는데 어찌 실패할 수 있으랴.

퀵윈**Quick Win***의 효과는 위력적이었다. 이러한 변화로 자신의 일을 할 시간을 확보한 직원들이 본업에 몰입하게 되었다. 회사의 경영실적 개선에 절박하게 필요했던 판매가격 정상화 작업도 단기간에 성공적으로 추진할 수 있었다.

보통 판매가격의 급격한 변화는 거래처 입장에서는 받아들이기 매우 어렵고 저항 또한 심하다. 하지만 영업본부장을 비롯한 직원들이 불필요한 회의와 보고서 작성의 부담에서 해방되자 거래처를 집중적으로 방문하여 설득할 시간이 충분해졌다. 그래서 큰 어려움 없이 단기간에 판매가격이 정상화될 수 있었다.

예전 같았으면 거래처를 설득할 시간도 없이 일방적으로 판매가격을 인상하여 상당한 저항을 받고 다시 가격을 원점으로 환원할 수밖에 없는 상황에 몰릴 수도 있었으리라. 공장장들이나 생산관리 담당들도 사무실이 아니라 공장현장으로 돌아가면서 생산직 기술사원들과의 소통도 좋아졌다. 당연히 공장은 안정적으로 운영되고 품질 개선의 속도도 빨라졌다.

---

* 문제점과 원인이 명백하고 해결책도 쉽게 알 수 있는 경우 개선과제를 즉시 실행하는 경영혁신 방법

보고를 잘하면 일을 잘한다고 생각하는 조직이 많다. 전투를 잘하는 것보다 전투 상황을 깔끔하게 포장해서 보고를 잘하면 유능한 군인으로 인정받는 격이다. 보고에 서툴러도 현장에 충실하고 성과를 만들어내는 직원들은 그 진가를 알아주지 못하니 상대적인 박탈감이 얼마나 크겠는가? 보고서는 늘 생략, 조정, 편집이라는 과정을 거치기 때문에 생생한 현실이 담겨 있지 않다.

보고받을 사람이 듣고 싶어하는 것만 추려서 보고하는 때도 있어 상황 파악에 도움이 되지 않을 때도 잦다. 보고서는 꼭 필요한 사항에서 최소한의 의사소통 도구로만 쓰는 것이 효율적이지 않을까? 앞서 소개한 사례에서 개선작업을 기획팀이나 외부 경영 컨설팅 회사에 맡겼다면 어떻게 되었을까? 적지 않은 저항이 있었을 테고 실행에 많은 어려움이 있었으리라. 그리고 무엇보다 직원들이 회사의 중요한 의사결정의 주체가 된다는 소중한 만족감은 결코 얻을 수 없었으리라.

이처럼 내부 직원들과의 간단한 논의를 통한 의사결정만으로 문제 해결이 가능한 경우가 정말 많다. 굳이 사내외의 전문가를 불러댈 필요도 없고 새로운 TF팀을 구성할 필요도 없다. 나의 경험으로 보면 회사가 안고 있는 경영상 난제의 80퍼센트 이상이 내부 직원들의 지식과 능력의 범위 내에서 쉽게 해답을 찾을 수 있고 즉시 개선이 가능한 것들이다. 현장의 문제점은 평생을 현장에서 살아온 직원들이 그 어떤 외부 전문가보다 잘 안다. 다만 문제를 알고서도 그저 입을 다물거나 못 본 척하는 경우가 많을 뿐이다.

리더는 퀵윈 방식을 적용함으로써 두 마리 토끼를 한 번에 잡을 수 있다. 직원들을 회사 경영혁신의 적극적인 주체로 끌어들이면서 동시에 오랫동안 축적된 지식과 노하우를 현장에 적용하게 되는 것이다.

좋은 아이디어는 당장 실행하라

"한국인들아, 너희 잘 났으니 너희끼리 잘해봐라!!"

내가 외국사업장 한 곳에 경영책임을 지고 부임하였을 때다. 상황은 쉽지 않았다. 무엇보다도 실제 현장에서 일하는 현지 직원들의 태업에 가까운 자세가 가장 심각한 문제였다. 그들은 "한국인들은 물러가라."라며 대놓고 투서를 쓰는가 하면 회사 기물을 도둑질했다. 그런 상황에서 한 달에 한 번씩 워크숍을 개최하여 회사가 어떻게 하면 좋을지 토론하고 발표하도록 하였다. 물론 회사 경영방침에 대한 설명과 경영현황에 대한 공유도 상당히 정확하게 하였다.

직원들의 초기 발표내용은 거의 분풀이나 욕설에 가까웠다. 그러나 횟수를 거듭하면서 의미 있는 개선아이디어 제안도 나오고는 했다. 나는 이런 제안에 대하여 그 자리에서 책임자를 지정하여 실행을 지시하였다. 직원들로서는 정보를 자세하게 공유할 뿐 아니라 제안하면 바로 채택되어 집행하는 것이 상당히 충격적이었던 모양이다. 자신들은 2등 시민이요 인수당한 피지배그룹이라는 피해의식이 있었으니 그럴 만도 했다.

시간이 흐르면서 마음에 적지 않은 상처를 받았던 현지인 직원들의 변화가 시작되었다. 그동안 태업에 가까운 수준으로 일하던 그들이 달라지기 시작한 것이다. 회사 기물이나 연료를 훔쳐가거나 업자들과 짜고 원재료 공급량을 속여 부정을 일삼던 직원을 자체적으로 적발했다. 그들은 누가 도둑질을 하고 부정한 짓을 하는지 알고도 침묵하고 있었다. 그러나 자신들이 회사경영의 주체라는 인식이 퍼지자 자발적으로 그러한 직원들을 고발하고 정화작업을 시작한 것이다. 이것이 바로 퀵윈을 통해 얻은 효과였다.

"직원들을 변화의 주역으로 세워라. 그러면 성공하리라."

그 원칙을 가슴 깊이 새기게 된 아주 소중한 경험이었다.

03

직원들은
답을 알고 있다

퀵윈 성격의 간단한 과제들뿐 아니라 조직의 큰 과제들에 대한 해결책을 찾는 데도 직원들이 주도하게 하는 것이 좋다. 그들의 본능인 주도성의 욕구가 깨어나면서 조직이 가진 모든 지식과 잠재력이 성과 창출로 연결되기 때문이다.

사업전략 작성

회사의 사업전략도 직원들이 주역이 되어 작성하는 방법을 선택하는 것이 좋다. 전략 수립에 필요한 생생한 현장 정보와 노하우는 직원들이 가지고 있기 때문이다. 영업, 생산, 구매 등 모든 현장에서 발생하는 정보는 직원들이 제일 먼저 접한다. 그리고 직원 대부분은 오랫동안 현장에서 그 일을 하면서 전문가 수준의 지식을 쌓게 된다. 따라서 경영전략의 수립은 현장 직원들로부터 실마리를 찾는 것이 현명한 방식이다.

직원들이 가진 지적 자산이 조직 안에서 자유롭게 흘러다닐 수 있는 물길을 만들고 경영전략으로 흘러들어오도록 하면 단시간에 훌륭한 사업전략이 세워진다. 그렇게 만들어진 전략은 실현 가능한 현실적인 전략이고 또한 전략을 만든 주체가 직원들이라서 실패 확률도 낮아진다. 전략 작성의 주역이었던 직원들이 직접 전략을 실행하므로 강력한 추진력을 얻는 것이다. 전략이 현장에서 실행되는 힘이 기하급수적으로 증폭되면서 조직 전체가 생동감 넘치는 곳으로 탈바꿈된다. 직원들이 참여하여 만든 전략이나 의사결정은 결국 직원들이 자신의 것으로 느끼며 그 일의 실행에 주도적으로 움직이기 때문이다.

또한 직원들은 그렇게 만들어진 전략을 스스로 지켜야 할 약속으로 느끼기도 한다. 자신이 내린 결정으로 느끼고 그 결정을 성공시켜야 한다는 부담을 가진다. 사람에게는 자신의 결정에 따라 스스로 묶이는 심리법칙이 작용하기 때문이다. 그렇게 되면 직원들은 결정을 성공시킬 길을 어떻든 찾아내는 것이다.

조직에 관한 의사결정

조직에 관한 중요한 의사결정에 직원들을 주역으로 만들어주는 것도 아주 좋다. 아무래도 완벽할 수 없는 의사결정을 성공시키는 데 효과적이다.

불가피하게 핵심본부장을 교체해야 하는 상황이 발생했다. 후임으로 누구를 임명해야 할지 고민에 빠졌다. 늘 그렇듯이 핵심보직을 맡은 사람들이 임무를 제대로 수행하느냐는 회사의 성과에 결정적인 영향을 미치기 때문에 신중할 수밖에 없었다. 한동안 고심한 끝에 해당본부의 과장급 이상 간부 모두를 회의실로 불러 모았다.

"끝장 토론을 해서라도 지금 조직을 살릴 수 있는 최적임 본부장을 정해서 제안해주기 바랍니다. 나는 이 토론에 참여하지 않을 테니 눈치 보지 말고 소신껏 토론하고 잠정적인 결론이 나오면 이야기합시다."

토론은 종일 걸렸다. 직원들은 대표나 인사팀에서 알지 못하는 밑바닥의 정서와 후보자에 대한 모든 자잘한 관련 정보까지 꿰고 있다. 직원들은 이 모든 것을 바탕으로 조직을 살려야 한다는 공동의 목표를 가지고 찾아낸 결과를 들고 왔다. 나는 그들이 가져온 제안을 흔쾌히 승인했다. 내 생각도 그들의 제안과 다르지 않았기 때문이다.

"이건 당신들의 결정이에요. 당신들이 선택한 본부장이니 꼭 성공해야 합니다."

직원들에게 당부했다. 그들은 자신들이 직접 본부장을 추천했고 그대로 실행되었기에 그 결정을 성공시켜야 하는 입장에 서게 된 것이다. 당연히 신임 본부장과는 유대감이 강한 상태에서 일이 시작되었고 본부는 단합이 잘되는 강력한 조직이 되었다.

어려운 과제를 풀어내는 힘 몰입

모든 경영자는 직원들이 회사일에 몰입하기를 원한다. 자신이 몰입을 통해서 일에 재미를 느끼며 어려운 과제를 많이 해결하는 사람일수록 더욱 그렇다. 그래서 일에 몰입하라고 강조해보지만 그렇다고 직원들이 일에 몰입하게 되지는 않는다. 하지만 직원들을 일의 주역으로 만들어주면 일에 몰입하는 정도는 극적으로 높아진다. 그러한 방식이 조금 시간이 걸리는 듯이 보이기도 하지만 야단을 치거나 강제로 일을 시킨 것과 비교해보면 훨씬 효과적이다.

회사에서 핵심가치를 전파하기로 하였고 교육팀이 이 업무를 담당하기로 했다. 핵심가치 키워드를 만들었지만, 그것만으로는 부족했다. 키워드에 대한 개념을 정리하고 구체적인 전파방법을 만들어야 했다. 그런데 그때까지 이런 작업을 한 번도 해보지 않아서 도무지 어떻게 해야 할지 감이 잡히지 않았다.

그 작업을 교육팀장이 맡았는데 도무지 움직이는 기미가 보이지 않았다. 시간이 다소 흘렀는데 아무런 보고가 없었다. 어떤 리더는 닦달을 하거나 고함을 질러댔을지도 모른다. 하지만 나는 정반대의 선택을 했다. 그가 알아서 하리라 생각하고 그저 기다려준 것이다. 그렇게 한 달 정도가 흘렀다. 그는 그제야 움직이기 시작했다. 일단 움직이기 시작하더니 기대를 훨씬 넘는 핵심가치 교재와 교육계획이 가시화됐다. 그는 그동안 온 힘을 다해 몰입해서 방법을 찾고 있었던 것이다. 만약 도중에 다그쳤다면 빨리해서 보고해야 한다는 생각에 졸속으로 만든 결과물이 나왔을 것이다.

훗날 그는 한 달 동안 참으로 많은 생각을 하며 아이디어를 얻기 위해 고심했다고 했다. 황농문 교수는 『몰입』이라는 책에서 사람이 깊게 몰입하면 잠재의식까지도 일에 동원하여 피상적인 노력으로는 풀기 어려운 과제들을 풀기도 한다고 이야기한다. 교육팀장은 몰입을 통해 자신의 모든 능력을 사용하여 의미 있는 결과물을 만들어낸 것이다. 그를 일의 주역으로 인정하고 신뢰하며 기다려주었기에 가능한 일이었다고 생각한다.

직원들이 일을 주도하게 되면 예전과는 차원이 다른 업무 몰입을 보여주는 사람들이 생긴다. 많은 직원들이 열정적으로 일에 몰입하는 모습을 보면서 '나는 저 나이에 저렇게 하지 못했는데.' 하는 생각에 존경심과 감사한 마음을 가진 적이 많다. 지금 생각해도 그런 직원들과 일할 수 있었다는 것이 참으로 감사하고 행복했다. 그런 사람들이 늘어나면 조직 전체의 분위기가 일에 몰입하는 쪽으로 흘러가는 법이다. 그런 조직이 고성과를 내지 않을 수 있겠는가?

04

현장은 현장 담당자에게 맡겨라

지휘자는 직접 연주하지 않는다

직원들 속에 잠자던 에너지가 표출되면서 성과로 연결되는 곳이 바로 현장이다. 영업현장, 생산현장, 조달현장 등등 일선 직원들이 움직이는 현장에서 눈을 떼지 말아야 하는 이유이다.

내가 스스로를 '제1호 영업사원'이라고 칭하며 영업활동 지원에 힘을 다한 것도 직원들의 가슴속 숨어 있는 힘이 가장 집중적으로 분출되는 곳이 영업 현장이라고 보았기 때문이다.

현장중시 경영이라고 해서 리더가 무슨 전지전능한 존재처럼 앞장서서 이것 해라, 저것 해라는 식의 현장방문을 하는 것은 좋지 않다. 도리어 고객을 만나 시장을 몸소 파악하며 직원들과 깊이 있게 교감하고 방향성을 점검하며 지원하는 것이 좋다. 물론 리더가 직접 움직여야 하는 업무영역이 있기는 하다. 그러나 경기장에서 승패를 결정짓는 것은 결국 선수의 몫이다. 감독은 큰 그림에서의 전략적인 의사결정을 내리고 전 조직이 그 그림에 따라 움직이도록 지휘하고 실행을 지원하는 역할에 충실해야 한다. 마치 오케스트라의 지휘자가 직접 연주하지 않고 연주자들을 지휘하듯이.

전략방향이 잘 공유되고 직원들의 잠재된 성취욕구가 살아나기 시작하면 영업 현장에서 지원해주는 역할만 해도 성과가 좋아진다. 영업사원은 보스의 지원으로 자신의 성과가 향상되니 좋아하고 회사의 성과도 좋아진다.

생산현장도 크게 다르지 않다. 공장을 방문하더라도 공장장이나 기술사원들이 힘들어하는 것이 무엇인지를 먼저 살피는 것이 좋다. 그들이야말로 회사를 먹여 살릴 제품을 만드는 사람들이기 때문이다. 회사가 무엇을 지향하는지가 잘 공유되어 있고 일을 좀 더 잘하려는 의지가 살아난 상태에서는 리더가 마음을 다해 격려하고 지원하는 것만으로 충분하다.

직원들이 주도하는 현장경영이 낳은 성과

나는 현장 직원들이 문제를 풀도록 앞세워서 불가능해 보이던 과제를 해결한 경험이 있다. 외국사업장 한 곳의 손익 개선을 위해 유통구조 개혁을 추진하는 과정에서 그동안 손을 대지 못했던 한 지역으로 시선을 돌렸다. 이 지역은 전체 판매량의 50퍼센트가 넘는 물량을 소화해주고 있었지만 유통구조 개혁은 시작도 못했던 곳이다.

이 지역의 유통구조를 개혁할 구체적인 방법을 찾지 못해 고민하다가 과거에 함께 호흡을 맞추었던 직원을 떠올렸다. 그는 그 지역 관련 업무만 10여 년을 해온 해당 지역 전문가였다. 나의 영입 제의로 회사에 합류하자마자 그는 해당 시장을 이 잡듯이 뒤지면서 조사했다. 그러던 중 놀라운 사실을 발견했다. 우리가 그 지역의 극소수 거래처에 팔던 가격이 당시 시장가격보다 큰 폭으로 낮은 것이었다. 드디어 길이 보이는 듯했다. 현재 판매가격과 시장가격과의 차이 일부만 회복하더라도 상당한 성과개선이 이루어질 수 있다고 판단했다.

그 지역 회사들은 보수적이어서 최고위층에서 움직이지 않으면 실무자들은 리스크를 지는 의사결정을 쉽사리 하지 않는다. 그 지역회사의 실무자들은 새로운 거래처의 물건을 쓰는 의사결정을 하고 싶어 하지 않았다. 나는 그가 이 어려운 과제의 주역임을 강조했다.

"유통망 개혁을 통해 판가를 끌어올리는 방법에 관한 한 당신이 리더입니다. 나도 모든 것을 다 쏟아 지원하겠습니다. 내 시간도 마음대로 쓸 수 있으니 필요하면 언제든 마음껏 나를 활용하여 성과를 만들도록 하세요."

비서에게도 그 직원의 요구를 가장 우선적으로 나의 일정에 반영하라고 일러뒀다. 해당 지역 영업에 대해서 그보다 더 많이 아는 사람은 없지 않은가? 또 성과 개선이라는 명확한 전략목표를 그의 것으로 철저하게 공유하고 있지 않은가? 그런 사람을 믿고 밀어주면 될 일을 내가 무얼 나서서 지시하고 간섭할 필요가 있겠는가?

나는 그가 요청하는 대로 함께 신규 대형거래처의 사장들을 만나면서 새로운 시장을 개척했다. 신규 거래처에는 판매가격을 시장가격 수준으로 높게 정했다. 기존 거래처에서는 급격한 판가 인상 요청에 심하게 저항했다. 나는 그의 지원요청을 받아서 기존 거래처들의 고위 임원과 사장을 만나 담판을 짓기도 했다.

"당신들도 알다시피 우리는 이제 아무것도 안 하면 죽을 수밖에 없습니다. 여태까지 우리는 손실을 보는데도 당신들은 큰 이익을 보았습니다. 그러니 이제는 우리를 살리기 위해 당신들의 이익을 나누어주어야 합니다. 우리만 살자는 것이 아니라 함께 살자는 것입니다."

그렇게 호소하고 압박하자 그들도 가격 인상에 동의할 수밖에 없었다. 이런 노력에 힘입어 통화가 지속적으로 강세를 유지하여 수출에 불리한 여건이 지속되었지만 해당 사업장의 수익성은 큰 폭으로 개선되었다(매출이익율 전년 대비 1.34배 증가[*]).

그러한 결과는 그 직원이 주도해서 만든 것이라는 점이 중요하다. 이처럼 현장경영은 직원들이 마음껏 일하도록 현장에서 함께 뛰고 지원해주는 식이어야 한다.

---

[*] 공시된 감사보고서 기준

05

직원 한 사람이
중요하다

말단 직원의 마음도 소홀히 여기지 마라

기업조직에서 직원 한 사람의 판단과 행동은 회사의 성과에 심대한 영향을 미칠 수 있다. 아무도 모를 만큼 은밀하게 회사에 큰 손실을 입히기도 한다. 각자의 업무영역은 아주 복잡해서 프로세스와 징벌 시스템을 정교하게 갖춘다고 해도 완벽하게 관리할 수도 없다. 이와 반대로 직원들이 아무도 모르고 지나칠 수 있는 개선기회를 찾아 회사에 크게 이바지하기도 한다. 경영자가 아무리 작아 보이는 일을 맡은 직원이라도 가볍게 여기지 말고 그들의 마음을 얻어야 하는 이유이다.

공장에서 기계정비를 담당하는 한 직원은 제품에 투입되는 접착제 분사노즐을 바꾸었다. 공장장도 그렇게 단순한 노즐 교체만으로 연간 수억 원의 접착제 투입비용을 절감할 수 있다는 것을 몰랐다. 그가 그저 침묵하였더라면 어땠을까? 회사는 그러한 간단한 혁신으로 큰 폭의 수익을 얻을 기회를 잃었다는 사실조차 몰랐으리라.

이와 유사한 일은 수도 없이 많다. 현장에서 기계를 직접 운전하는 직원들이야말로 개선점에 대해서 누구보다 잘 안다. 그들이 입을 열고 그 개선 아이디어를 경영에 접목할 것인지 그저 침묵할 것인지는 경영자에게 달려 있다. 경영자가 그들을 진정한 힘의 근원으로 인식하여 존중하는가 아닌가에 달려 있다는 것이다. 직원들을 존중하지 않으면 아무리 회사에 '제안제도'가 있더라도 이익이 되는 아이디어를 내놓지 않을 것이다.

많은 한국기업이 벤치마킹하는 도요타자동차의 개선제안제도는 직원들의 작은 개선 아이디어도 소중하게 여기는 기업문화에서 꽃피었음을 잊지 말아야 한다. 그렇기 때문에 이것을 단순한 제도로만 적용하면 실패하고 만다.

철저하게 자율적인 도요타의 제안활동 결과가 일인당 연간 평균 제안건수 11건, 공장별 매일 250에서 300건 개선이라니 직원 개개인이 이바지할 수 있는 한계가 대체 어디까지일까?

다카시마야백화점과 포도

영업 현장에서든 구매 거래과정에서든 직원들이 일하는 모든 현장에서 아주 은밀한 방식으로 회사에 손실을 끼치는 사람들이 있다. 하지만 영업 현장 직원 한 사람이 회사 전체에 엄청난 이익을 가져다 주는 경우도 얼마든지 있다. 일본의 다카시마야백화점에 어느 날 한 초라한 부인이 포도를 사러 왔다. 겨울철이라 포도값은 한 상자에 수만 엔에 달했기에 부인은 포도 상자만 넋을 놓고 바라보고 있었다.

사연을 묻는 점원에게 부인은 어린 딸이 백혈병으로 죽어가면서 포도를 먹고 싶어 하니 포도를 몇 알만이라도 팔 수 없는가 물었다. 점원은 부인이 내미는 2,000엔어치 포도 몇 알을 따서 정성껏 포장해주었다. 소녀가 죽은 후 치료를 담당했던 의사가 마이니치신문에 사연을 기고하면서 이 일은 세상에 알려지게 되었다. 사람들은 이렇게 고객을 배려하는 백화점으로 몰려들었고 매출은 급격하게 증가하였다. 다카시마야백화점의 상징이 장미꽃에서 포도로 바뀐 것은 물론이다. 오늘날 기업조직에서 한 사람이 기업의 성과에 얼마나 큰 영향을 미칠 수 있는가를 극적으로 보여주는 사례이다.

그렇게 중요한 한 사람 한 사람이 마음을 다해 일할 때 그 성과는 얼마나 놀라울 것인가. 인도 IT 회사 HCLT 나야르 부회장은 직원 우선주의를 실천하여 위기에 빠진 회사를 구하고 8년 새 매출 7배, 영업이익을 3배로 늘리는 쾌거를 이루었다. HCLT의 모토는 '직원 우선, 고객 차선Employee first, customer second'이다. 그는 "말단직원의 작은 결정 500개가 CEO의 큰 결정 5개보다 훨씬 중요하다."고 역설한다. 직원 한 사람의 중요성을 이보다 더 강렬하게 표현할 수 있을까?

목표달성의 함정

기업조직은 매년 새로 목표를 정한다. 공장에서는 한 해 동안의 생산성 목표를 수립하고 영업부문도 매출목표를 세운다. 한편 대부분의 직원들은 목표를 높게 잡기를 꺼린다. 될 수 있으면 편안하게 목표를 잡고 그 수준에 안주하려 한다. 높은 목표를 설정하여 노력하다가 달성하지 못할 때 져야 하는 부담감과 위험을 피하기 위해서이다. 실패를 용납하지 않는 조직에서는 더욱 그렇다. 실패한 사람을 벌주는 것에만 익숙한 조직에서 누가 스스로 실패의 위험을 무릅쓰겠는가?

새롭게 가동을 시작한 공장을 운전하는 직원들은 목표를 '적당하게' 설정하려는 유혹에 굴복하기 더 쉽다. 새로운 지역에 개척영업 목표를 정하거나 구매에서 새로운 아이템 공급계약가격을 정할 때도 유사한 상황이 벌어진다. 그들은 자신들의 목표를 초과 달성할 카드를 뒤에 숨겨두고 싶은 것이다. 그러나 경영자나 관리자들은 그러한 세세한 상황을 알기가 어렵다.

오랫동안 통제와 관리로 운영되던 조직에서 이런 상황이 많이 발생하고 이익을 내지 못할 때는 더욱 심해진다. 직원들은 목표를 '초과' 달성함으로써 자신이 해고될 가능성을 줄여야 하기 때문이다. 직원들은 목표를 적당하게 줄인 대가로 보상도 받고 좋지만 회사는 얻을 수 있었던 이익을 잃어버리는 이 아이러니를 어찌할 것인가.

당신의 조직에서는 이와 유사한 일이 없다고 확신할 수 있는가? 형태는 다르지만 회사 조직의 모든 영역에서 이와 유사한 일이 얼마나 많이 벌어지는가? 내가 도전적인 목표를 수립하자 감당하기 어려운 목표는 잡지 않는 게 좋다고 조언하는 동료도 있었다. 직원들을 통제하고 관리만 하면서 그들의 마음을 얻지 못할 때 어쩔 수 없이 발생하는 병폐이다.

직원들의 정서를 움직여라

그렇다면 어찌해야 할 것인가? 여기서는 직원들의 정서만 긍정적으로 변해도 상황은 크게 달라지기 시작한다는 점을 언급하겠다. 내가 경영책임을 진 외국사업장 한 곳은 심한 M&A 후유증을 앓고 있었다. 그 문화권에서 일하는 방법을 모르는 한국인 관리자들에게 상처받은 현지인 직원들의 정서는 최악이었다. 이는 심각한 실적악화의 원인이 되었다.

나는 부임 초기에 확정한 경영목표에 경영의 현지화Localization를 포함시켰다. 한국인이 주도하는 경영에서 현지인 주도 경영으로 바꾸겠다는 선언이었다. 그리고 이를 실천하기 시작했다. 현지인 직원들을 주요 책임 직위에 임명하고 모든 경영의사결정 기구에 참여시켰다. 또 한국인들만의 회의는 가능하면 피했다.

처음에는 반신반의하던 직원들의 정서가 점차 긍정적으로 변하기 시작했다. 열등한 그룹으로 무시당한다고 느끼던 현지인 직원들이 이제 회사에서 존중받는다는 느낌을 가지게 된 것이다. 이러한 변화가 회사 실적이 극적으로 좋아지는 데 단단한 기반을 닦아주었음은 물론이다.

3장

모두가 공유한
하나의 목표

참여형 공유와 미션수립을 통해 본격적인 조직변화는
시작된다. 강력한 팀 구성의 실제와 보상의 바른 사용도
함께 살펴야 한다.

01

모두가 한 곳을
바라보게 하라

구성원들의 생각이 합치될 때 조직의 힘은 강력한 쓰나미로 변하여 탁월한 성과를 창출한다. 그러나 사람의 생각을 바꾸어 하나로 만들기는 쉽지 않다. 오죽하면 GE의 전 회장 잭 웰치가 직원들에게 700번 이상 반복해서 말해야 한다고 했을까? 위로부터 아래로의 소통에 얼마나 깊은 좌절을 경험했으면 이런 말을 했을까 싶다.

"우리 회사, 우리 본부의 방향이 무엇인지 도무지 모르겠어요."

내가 새로운 조직을 맡았을 때 직원들에게서 종종 들었던 이야기이다. 매일 사무실에 나와 일을 열심히 하는데 조직이 대체 어디로 가는지 큰 그림이 보이지 않는다는 하소연이다. 분명히 회사와 조직의 사업계획도 있고 목표도 있는데도 그렇게 느끼는 직원들이 꽤 많았다. 이런 소통의 단절상황에서 어찌 조직의 힘이 극대화되겠는가?

조직 책임자들은 업무 지시를 하고 일정도 확인한다. 그러나 일의 큰 그림을 어떻게 그리고 있는지, 또 일의 방향을 어떻게 잡아야 하는지는 오로지 보스의 머릿속에만 있다. 도대체 머릿속에 무엇이 있는지를 말해주지 않으니 알기가 어렵다. 어쩌면 방향이 있기는 한 것인지 의심스럽기도 하다.

그런 상황에서 직원은 나름 애를 써서 방향을 잡아 일한다. 하지만 나중에 보스는 "내 생각도 모르느냐!"며 질책하거나 "이건 아닌데……"라며 한숨을 내쉰다. 말도 안 해주고는 그것도 모르느냐며 답답하다는 표정을 짓는다. 이런 상황은 뜻밖에 자주 벌어진다. 이런 상황에서 소신껏 일하다가는 바보가 되기 십상이다.

지식의 저주

어느 날 아내에게 마음속으로 아무 노래나 부르며 박자에 맞춰 탁자를 두드려보라고 했다. 아내는 두 곡을 속으로 노래하며 탁자를 두드렸다. 두드리는 소리에 집중하며 곡 제목을 알아내려고 애썼지만 쉽지 않았다. 아내에게 물었다.

"내가 두 곡의 제목을 맞출 확률이 얼마쯤 될 거 같아요?"

"50퍼센트 정도요."

절반의 확률. 아내는 그 노래가 평소에 늘 부르던 노래라 내게도 익숙하리라 생각했다. 그러니 나도 당연히 쉽게 알 것이라 여기고 절반의 확률은 된다고 본 것이다. 하지만 나는 50퍼센트는커녕 한 곡도 맞추지 못했다. 내가 아내와 함께했던 노래 맞추기는 미국의 스탠퍼드 대학에서 한 심리 실험이다.

스탠퍼드 대학의 엘리자베스 뉴턴은 실험에서 박자를 두드리는 사람에게 듣는 사람이 박자 소리만 듣고 노래의 제목을 맞출 확률이 얼마나 될지 물었다. 그러자 50퍼센트라는 대답이 나왔다. 하지만 정작 노래 제목을 맞춘 것은 120곡 중에서 겨우 세 곡에 불과했다. 2.5퍼센트의 확률이었던 것이다.

엘리자베스 뉴턴은 이 실험을 통해 '지식의 저주'라는 현상을 증명했다. '지식의 저주'란 많이 알고 있는 사람이 모르는 사람의 마음을 제대로 알지 못한다는 것이다. 지식을 많이 가지고 있는 사람은 지식이 부족한 사람들이 어떤 곤란한 문제를 겪고 있는지 이해하지 못한다. 그저 답답하다고 여길 뿐이다. 내가 알고 있는 걸 너는 왜 모르느냐며 테이블만 두들겨댄다. 우리는 그러한 지식의 저주를 회사조직에서 거의 매일 경험하며 산다.

그렇다면 지식의 저주를 극복하여 소통 단절상황을 없애고 조직의 힘을 하나로 모아 성과로 연결할 방법은 무엇인가? 직원들이 참여하고 주도하는 방식으로 조직의 큰 방향성을 잡는 것이다. 자기들이 주도적으로 고민해서 잡은 방향이니 이런 소통단절의 문제가 발생하지 않는 것이다.

목표는 함께 세워야 한다

이 작업은 시간이 걸리기는 하지만 그다지 어렵지 않다. 기업 전체나 본부 차원의 거대 목표나 방향성을 제안하라는 주제를 주고 토론과 발표를 몇 차례 하면 대체로 발표하는 것이 비슷비슷해진다. 직원들이 바보가 아닌데 책임자 입장이 되어 생각해보라고 되풀이 과제를 주니 리더의 생각과 비슷해지는 것은 당연하다. 적자 회사라면 흑자 전환, 2등 회사라면 1등 되기, 매출 얼마를 달성하기 등이 될 테고 그걸 달성하기 위한 실행전략도 리더의 생각을 크게 벗어나지 않는다.

스태프 조직이나 작은 팀 단위조직도 마찬가지이다. 그 조직이 어떤 일을 해야 하는지 정리하라고 하면 직원들이 평소에 하던 일의 속성을 다시 한 번 곱씹어보게 된다. 대부분 오랫동안 해오던 익숙한 일이라서 어렵지 않게 합의점을 찾는다. 새롭거나 기발한 것이 없다고 이 작업의 의미를 절대로 과소평가하지 말아야 한다. 중요한 것은 참여라는 과정이다. 직원들은 토의하고 함께 고민하는 과정을 거치면서 함께 잡은 목표를 깊이 이해하게 된다. 이러한 공동의 방향성과 목표가 그들의 마음 깊이 자신의 것으로 내재화되는 것이다.

내재화의 위력에 대해서 조금 더 설명해보자. 로버트 치알디니가 쓴 『설득의 심리학』을 보면 한국전쟁 때 중공군에 잡힌 미군 포로들이 어떻게 서서히 공산주의 사상에 세뇌되어 갔는지에 관한 설명이 나온다. 중공군이 미군 포로를 세뇌시킨 과정은 아주 단순했다. 미군 포로들은 포로생활을 거치면서 심신이 아주 지쳐 있었다. 그래서 중공군이 담배 한 개비를 상으로 걸고 여는 작문대회에 참여했다.

작문의 주제는 다양한 형태로 자본주의의 문제점을 지적하는 내용이었다. 미군 포로들은 담배 한 개비를 얻기 위해 자신의 평소 생각과는 무관한 중공군의 입맛에 맞는 글을 쓰려고 애를 썼다. 그 과정에서 자신이 이전에는 전혀 생각하지도 못했던 자본주의 사회의 문제점에 대해서 인식하기 시작했다. 그러면서 점차 공산주의가 주장하는 사상이 옳다는 식으로 생각이 바뀌게 되었다. 아마 중공군이 공산주의 사상을 일방적으로 주입하려 했다면 아무런 변화도 없었을 뿐 아니라 반발만 샀을 것이다. 그러나 이런 참여과정을 거치면서 본인의 생각 자체가 속에서부터 바뀌는 경우가 많이 발생했다.

큰 그림을 참여형으로 공유하는 것은 이러한 중공군의 사상주입 방식을 기업현장에 응용하는 것이다. 그렇게 되면 직원들은 전략목표, 방향성, 미션, 비전 등으로 불리는 조직의 방향을 정하는 생각들을 깊이 이해하게 되고 자신의 것으로 만들게 된다. 그 결과 직원들은 수동적으로 끌려가지 않고 목표달성을 위해 적극적으로 움직이기 시작했다.

조직의 책임자는 조직이 함께 공유해야 하는 모든 것에 이러한 방식을 적용할 수 있다. 조직의 존재 이유라고 할 만한 미션, 즉 사명선언문도 이렇게 정하면 단순한 구호가 아니라 조직구성원의 마음속에 살아 움직이는 원칙이 된다. 그에 따라 구성원들의 행동이 바뀌어가는 것은 물론이다. 비전도 이렇게 설정하면 구성원은 그

비전을 자신의 것으로 인식하고 달성하기 위해 노력하게 된다. 구체적인 전략목표나 사업계획목표를 잡는 과정도 이렇게 설정하면 구성원이 목표를 향해 자가발전하면서 움직이는 모습을 보게 된다.

참여형 생각의 공유에서 성과가 나온다

나는 이렇게 참여형이라는 큰 그림의 공유가 위력을 발휘하는 것을 여러 차례 경험했다. 구체적인 사례 하나를 소개한다. 전략목표 가운데 제품의 품질 개선이라는 과제가 있었다. 회사 제품은 경쟁 제품인 수입품에 비해 품질이 많이 떨어진다는 것이 시장의 평가였다. 내가 그 문제를 꺼내자 팀장들이 이구동성으로 전임 대표이사도 많이 신경을 썼고 전담 TF팀까지 만들어서 노력했지만 성과가 없었다고 하는 것이 아닌가. 그러나 내 생각은 달랐다.

제품의 품질은 소수 전담인력이 노력한다고 근본적으로 개선되는 것이 아니다. 하지만 제품을 만들어내는 데 관여하는 모든 직원이 품질 개선을 공동의 목표로 인식하고 주도적으로 노력한다면 반드시 성과가 날 것이라 믿었다. 원재료 조달부서, 생산공장의 기술사원, 품질관리자, 그리고 투자나 기술부서의 엔지니어들이 어떤 형태로든 품질에 영향을 미치는 의사결정을 하지 않는가? 그래서 지속적인 참여형 논의를 통해서 품질 개선을 회사의 주요 전략목표로 철저하게 공유시켰다.

그러한 논의결과 모든 투자의사결정, 원재료 투입결정, 생산기획 및 품질관리에 관한 의사결정이 그 목표에 정렬되어 이루어졌고

서서히 품질 개선의 효과가 나타나기 시작했다. 심지어 관리부서도 이러한 목표에 맞게 숫자를 관리하고 피드백을 해주고는 하였다. 그리고 간부들뿐 아니라 모든 부서의 직원들과 현장의 전체 기술사원들에게까지도 이러한 품질 개선목표를 설명하며 공유했다.

결국 오랜 시간이 지나지 않아 경쟁 제품인 수입품의 품질에 근접하는 품질수준까지 따라잡았고 판매가격을 수입품보다 높게 책정하는 가격정책이 가능하게 되었다. 나를 포함해서 목표설정에 참여한 직원들이 정확하게 목표를 이해하고 그것에 맞게 일관된 의사결정을 하며 노력한 결과였다.

나는 어려운 시장환경에서 적정 판매가격을 회복하는 과정에도 참여형 생각의 공유가 위력적으로 작동하는 것을 경험했다. 그 당시 영업본부 간부들과는 주 3회 아침마다 티타임을 하였다. 수익성을 개선하기 위해서는 영업본부가 제대로 움직여주어야 해서 더 많은 시간을 영업본부 간부들과 전략을 깊이 있게 논의하는 데 투입했던 것이다.

당시 판매가격이 터무니없이 낮은 수준이었으므로 판가 정상화는 회사로서는 중요한 과제였다. 낮은 가격의 직접적인 원인은 경쟁 제품인 수입품의 낮은 판가였다. 국산 제품의 판가는 늘 변동하는 수입품 판가에 끌려다니는 구조였다. 그 구조를 깨고 시장 판가를 주도하는 상황으로 만들지 않고서는 판가의 적정수준 회복은 불가능했다. 그래서 티타임마다 이러한 판가 형성 구조에 대해시 논의를 거듭했다. 나의 생각은 우리가 국내시장에서 가진 강점, 즉 수입품보다 짧은 납기로 고객의 필요에 민감하게 반응할 수 있는 특성을 적극 활용하여 판가를 선제적으로 끌어올리자는 것이었다.

그러나 오랫동안 수입품이 가격결정을 주도하는 구조를 경험하며 살아온 영업본부 간부들은 처음에는 선제적으로 판가 주도가 가능한가에 대해 의문을 제기했다. 그런 구조를 자연스러운 것으로 받아들이고 살아온 세월이 길었으니 당연한 일이었다. 그러나 지속적으로 편안한 대화를 나누면서 우리가 적정가격수준 회복을 주도하는 구조로 시장 패러다임을 바꿀 수 있다는 이해와 합의에 도달했다.

그후에 이를 실현하는 과정에 적지 않은 어려움도 있었지만, 영업본부 간부들이 주도적으로 문제를 해결하고 거래처를 적극 설득하면서 불과 서너 달 만에 판가를 적정수준으로 회복하고 수익성을 개선하는 개가를 올렸다. 내가 일방적으로 정하고 지시했다면 결코 이러한 성과를 거둘 수 없었으리라. 자신들이 주도적으로 참여해서 정한 전략적 목표인지라 직원들이 전략개념을 더 잘 이해하고 능동적으로 실행하였기에 가능한 일이었다.

지시받는 문화에 익숙한 직원들은 참여를 통해 공동의 목표를 수립하거나 전략 방향을 잡는 과정을 낯설어한다. 지금까지 해보지 않았던 방식이니 어색하게 느끼는 것도 당연하다. 하지만 그렇게 하면 직원들이 확정된 목표, 비전, 미션 등을 자신의 것으로 인식하고 움직이는 모습을 확인할 수 있으리라.

직원들이 눈치 보는 이유

깊이 있는 생각의 공유가 없이는 고위 임원이든 실무 직원이든 윗선의 눈치만 보고 우왕좌왕할 수밖에 없다. 북극성이 안 보이는 여행자가 길을 잃고 헤매는 것과 무엇이 다른가? 어느 CEO가 나에게 이런 말을 한 적이 있다.

"난 임원들에게 말을 하기가 겁이 납니다. 내가 아이디어를 내면 어떤 임원들은 명령으로 알아듣고 그냥 검토도 없이 실행해버리는 경우가 많아요. 나도 사람이니 틀릴 수도 있는데 아이디어를 제안하는 차원에서 말을 하면 그게 옳은지를 검토해서 아니면 아니라고 해야 하는데 그렇게 하는 사람이 많지 않아요."

모든 말을, 심지어 질문까지도 보스의 의중을 살피는 재료가 되어 우왕좌왕하는 슬픈 현실을 이야기한 것이다. 명확한 생각의 공유가 되어 있지 않아서 벌어지는 일이다. 이러한 소통의 부재가 구체적인 경영현장에서 회사의 큰 손실로 이어지는 사례를 보기도 하였다. 그러므로 리더는 부하들과의 방향 공유에 집요할 정도로 철저할 필요가 있는 것이다.

직원들이 참여하여 업무의 방향과 구체적인 전략에 대해 깊이 있게 논의하며 생각을 맞추는 작업은 한번으로 끝나는 것이 아니다. 큰 그림에 합의한 이후에도 상황 변화에 따라 필요한 미세조정도 하여야 한다. 그렇게 해야 조직이 리더 자신의 몸처럼 움직이는 것이다.

관점 변화의 힘

참여형으로 큰 그림을 공유하는 것만으로 단시간에 조직의 힘이 그렇게 강력해질까?

미국 텍사스 주의 고속도로는 쓰레기 무단투기 때문에 골머리를 앓고 있었다. 주 정부가 엄청난 돈을 들여 캠페인을 벌였다. '쓰레기를 함부로 버리지 않는 것은 시민의 당연한 의무'라는 메시지를 곳곳에 설치했다. 그러나 의무를 강조하여 행동을 바꾸려고 한 캠페인은 실패하고 말았다. 쓰레기 불법투기는 줄어들지 않았던 것이다.

주 정부는 고민 끝에 캠페인의 실패를 인정하고 메시지 전문가를 불렀다. 그는 새로운 메시지를 제안했다. "진정한 텍사스 사람이라면 아무데나 쓰레기를 버리지 않는다."는 메시지이다. 단지 메시지만 바꾼 캠페인은 놀라운 효과를 거두었다. 1년 뒤에 30퍼센트 가까이 불법투기가 줄어들더니 5년이 지나자 무려 70퍼센트가 넘는 감소 효과가 나왔다.

의무를 강조하는 명령형 메시지가 아니라 텍사스 사람이라는 정체성과 자부심을 자극하는 메시지의 효과는 이 정도로 컸다. 사람들이 의무보다 자신의 정체성과 자부심에 더 큰 관심을 두고 그에 맞는 행동을 한 것이다. 강제적인 지시와 명령에 사람이 한때 반응할 수는 있지만 그런 변화는 지속성을 가질 수 없다. 오히려 속으로는 반발하고 냉소적이 될 수도 있다. 반면 자신의 정체성을 지키자는 메시지는 자발적인 동의와 지속적인 태도 변화를 이끌어내는 힘이 있다.

왜 그런가? 명령형 지시는 인간 주도성의 욕구를 거스르고 자율적 의지를 약화시키기 때문이다. 그러나 생각의 관점을 바꿔줄 수 있다면 그는 스스로 그 생각에 맞게 행동하려는 자연스러운 욕구가 증가하게 되는 것이다. 그리고 그런 생각을 거스르며 자신의 정체성에 반하는 존재가 되는 것을 싫어하는 본능이 작동되기 때문이다.

이처럼 생각을 바꾸는 작업을 참여형으로 진행하면 생각이 바뀐 사람들이 그 생각에 따라 움직이게 된다. 리더가 뭔가 제시하기보다는 직원들이 스스로 깊이 고민하면서 내적인 변화가 생긴 결과이다.

"이제야 비로소 우리가 무슨 일을 하는지 알겠습니다."

과정이 진행된 지 몇 달 후에 직원들은 이런 말을 하기 시작한다. 자신이 하는 일을 내면의 정체성이라는 거울에 비추어보게 되었다는 뜻이다. 일하는 모습도 달라지기 시작한다. 그전에도 경영이념이 있었고 매년 경영계획도 세우고 목표관리도 했다. 하지만 직원들이 직접 참여하여 목표와 방향을 잡는 과정에서 내재화가 이루어지면 완전히 다른 결과를 낳는 것이다.

내가 아들을 야단치지 않기로 한 이후에 한 작업도 바로 이 정체성을 제대로 심어주는 작업이었다. 야단칠 때 아들이 받는 메시지는 "~해라."라는 명령형 지시였다. 당연히 그런 지시형태의 메시지를 받은 아들은 잠시 공부하는 듯하다가 이내 예전으로 돌아가고는 했다. 때로는 기업에서 사용하는 목표관리MBO 방식대로 공부 목표와 자세한 실행계획표를 만들게 하여 실천하게 해보기도 했다. 하지만 이 또한 자발적으로 한 것이 아니어서 시간이 지나면 시들해졌다. 그러나 야단을 치지 않겠다고 결심하고 나서는 "너는 ~사람이다."라는 정체성을 만들어주는 메시지를 편안한 분위기에서 반복적으로 주려고 노력했다.

"너는 원래 뛰어난 사람이야." "너는 잘할 수 있는 사람이야." "너의 탁월함은 곧 나타날 것이야." 같은 메시지였다. 처음에는 아무런 변화가 없는 듯이 보였다. 그러나 시간이 흐르면서 서서히 달라지더니 정립된 정체감에 맞게 행동하기 시작했다. 결국은 대학을 수석으로 졸업하는 감격의 순간을 맞이할 수 있었다.

공유한 내용을 효과적으로 전달하는 방법

조직의 기본적인 방향을 정하는 미션, 비전, 가치 등을 만들고 나면 그에 기초해서 전략적인 목표, 즉 사업계획을 달성하기 위한 실행목표도 참여형으로 만드는 것이 필요하다. 미션이나 비전은 하나이고 수년간 바뀌지 않으므로 모든 사람이 쉽게 기억할 수 있다. 그러나 단기 전략실행과제는 가짓수가 많은 것이 보통이다. 리더는 챙겨야 할 전략과제를 최대 7가지 정도로 제한하여 설정하고 반복적으로 공유하는 것이 좋다.

굳이 7가지로 제한하는 이유는 인간의 기억력이 가지는 한계 때문이다. 심리학 교수 조지 밀러George A. Miller 박사는 그의 논문 『마법의 수 7±2』에서 인간이 가진 단기 기억장치의 용량은 5개에서 9개 사이라고 결론 내렸다. 7개 이내로 압축해야 리더를 비롯해 직원들 모두가 쉽게 기억하며 수시로 설명과 토론을 할 수 있다. 실행 과정에서 전략목표를 늘 염두에 두고 있어야 그 목표가 조직 속에 살아서 움직이게 된다. 너무 많아서 기억할 수 없는 전략목표는 없는 것이나 마찬가지이다.

02

참여를 통해
조직의 힘을 증폭시켜라

IBM은 '스피크업Speak-up'이라는 제도를 운용하고 있다. 이 제도는 직원들이 근무환경이나 애로사항을 서면으로 건의하는 제도이다. IBM은 직원들이 회사정책에 대해서도 스피크업을 통해 건의할 수 있도록 했다. 즉 회사의 전반적인 사안에 대해 직원들이 자유롭게 스피크업을 이용하게 했는데 비밀을 철저하게 보장하기 때문에 활용도가 꽤 높다고 한다. 연평균 1만 건 이상의 스피크업이 이루어지고 있다고 하니 성공적으로 정착된 제도이다.

IBM의 스피크업은 근무환경에서부터 회사전략과 정책까지 직원들의 참여를 이끌어내야 한다는 의지의 산물이다. 비밀이 보장되기 때문에 쏟아내는 건의사항에는 신랄한 비판도 있고 치열한 의견대립도 생긴다. 그러나 IBM은 의사소통 과정에서 생기는 마찰이나 갈등을 보장해야 창의적인 생각을 억누르지 않고 표출할 수 있다고 보았다.

한번은 IBM의 내부 통신망을 통해 사흘 동안 회사의 정체성과 방향에 대해 전 세계 직원들이 토론을 벌였다. 당시 수만 명의 직원이 이 토론에 참여했다. 시간이 지날수록 초기의 냉소적이고 비난 위주의 글들이 점점 회사의 전략과 방향에 대해 진지하게 고민하는 글로 바뀌었다. 회사도 이 토론을 통해 정체성과 방향을 수립하고 실행전략까지 만들었다고 한다. 이렇게 만들어진 방향성과 전략을 직원들이 자기 자신의 것으로 느끼는 것은 당연하지 않겠는가?

리더는 가능한 많은 수의 직원들을 워크숍에 참여시켜 그룹 토의를 통해 전략과 아이디어를 제안하게 하는 것이 좋다. 이 과정에서 토론이 개방적인 분위기에서 진행되도록 해줄 필요가 있다. 비슷한 직급의 직원들끼리 그룹을 만들어주면 눈치 보지 않고 편하게 말할 수 있어 토론도 활발해진다. 또 소속이 다른 직원들을 섞어서 그룹을 만들어주면 서로 다른 시각에 자극을 받으며 아이디어를 내기가 수월해진다. 이를 몇 차례 반복하면 주저하던 직원들도 차츰 입을 열고 나중에는 거침없이 생각들을 쏟아내기도 한다.

참여시켜라

조직 분위기가 침체해 있고 갈등이 있을 때는 직원들이 워크숍이나 회의시간에 입을 떼기 어려워한다. 그러나 리더가 열린 자세로 진지하게 발표를 들으며 성실하게 대답해주고 실행할 가치가 있는 것은 즉시 실행하거나 실행계획을 세우게 하면 단시간에 분위기가 바뀐다.

자신들이 내놓은 정보와 지식이 채택되고 실행되는 모습을 보면 직원들은 점차 경영의 주체가 되었다고 느끼기 때문이다. 개선 아이디어와 도움이 되는 정보가 봇물처럼 터져나오기 시작함은 물론이다.

한 외국사업장에서 일하던 외주 협력회사 이야기이다. 워크숍이 몇 차례 진행되어 분위기가 바뀌었다. 그러면서 간단하고 쉬운 수리 건이 있어도 직원들이 그냥 외주업체를 불러 처리한다는 이야기가 나왔다.

내부에서 충분히 수리할 수 있는 건인데도 아무런 고민도 하지 않았다. 외주업체는 간단한 수리만 하면서 부품가격에 서비스가격까지 얹어서 청구했다. 외주 인력의 관리가 허술하니 한 사람이 두 부서에 일한 것으로 장부에 기재하여 이중으로 인건비를 청구해도 그대로 집행되는 일까지 벌어지고 있었다.

현지인 직원들은 돈이 줄줄 새고 있는 걸 알면서도 아무런 말도 하지 않았다. 당연히 회사는 전혀 모르고 있었다. 그러나 직원들이 점차 회사정책 결정에 다양한 형태로 참여하면서 정서가 긍정적으로 바뀌자 이런 문제를 알리는 쪽으로 변화가 시작되었다.

현대의 기업조직은 매우 복잡하다. 불필요한 낭비는 말할 것도 없고 비용 부풀리기나 물품 빼돌리기 등 곳곳에서 몰래 하는 것을 회사가 모두 알 수는 없다. 신문을 보면 관리 시스템이 최고수준으로 알려진 굴지의 대기업이나 금융기관에서도 심심치 않게 사고가 터진다. 완벽한 관리가 불가능하다는 반증이기도 하다. 하지만 함께 방향을 잡고 변화에 동참하는 직원들이 늘어나면 문제점들이 표면화된다. 자연스레 조직이 추구하는 방향에 어긋나는 행동을 하는 사람이 설 자리도 좁아진다.

공범을 만들어라

참여에는 여러 단계가 있다. 가장 낮은 수준의 참여는 직원들에게 상황을 알려주는 것이다. 큰 조직을 책임지는 CEO가 모든 구성원과 함께 모여서 이야기를 하고 워크숍을 할 수는 없다. 하지만 CEO가 전략설명회를 열어서 정보를 공유하거나 조직의 방향이나 전략목표에 대해 설명해주는 것만으로도 직원들은 자신들이 회사나 조직의 운영에 참여한다고 느낀다. 또 글을 통해서 회사 상황이나 생각을 알리려는 노력도 큰 의미가 있다. 이 정도만으로도 직원들은 존중받는다고 느끼고 자신들도 회사 경영에 참여했다고 느끼기 때문이다. 이렇게 되면 직원들은 전략 실행에 좀 더 적극적이고 주도적이 된다.

여기서 더 나아가 어떤 안건을 논의하는 자리에 참석하면 참여의 정도는 깊어진다. 비록 아무 발언을 하지 않고 다른 직원들이 발언하고 논의하는 것을 듣기만 해도 심리적으로는 그 논의의 일부가 된 것이다. 따라서 단순히 일방적인 설명을 듣는 것보다 깊게 얽히게 되는 것이다.

참여의 가장 깊은 단계는 어떤 주제에 대해 의견을 개진하고 그 의견이 결정에 반영되는 단계이다. 이 정도 되면 심리적으로는 그 논의의 주체가 되는 수준으로 얽혀버린다. 속된 말로 '공범'이 되는 것이다. 리더는 가능하면 많은 사람을 의사결정의 공범으로 만들어야 한다.

정보를 공개하고 함께 고민하라

이나모리 가즈오 회장이 회생불능 판정을 받은 일본의 항공업체 JAL을 기적적으로 회생시킨 것도 직원들을 변화에 주도적으로 참여시킨 결과였다.

회사의 운명이 풍전등화일 때 구원투수로 등장한 이나모리 가즈오 회장은 연일 악습과 폐단에 맞서 싸웠다. 그는 회사의 경영방침을 '직원의 행복 추구'라고 선언하며 모든 경영정보를 직원들에게 공개하겠다는 방침을 밝힌다. 그러자 회사의 간부들은 격렬하게 반대했다. 고질병처럼 오래된 노사와 노노의 깊은 반목과 불신이 있었고 일곱 개로 쪼개져서 서로 갈등하는 노조에 이용만 당할 것이라고 주장했다.

그러나 이나모리 가즈오 회장은 눈 하나 깜짝 않고 소신에 따라 정보를 투명하게 공개했다. 그러자 반응은 전혀 다르게 나타났다. 직원들은 투명한 경영 정보를 공개하는 회사의 경영진을 신뢰하였다. 그들은 함께 회사를 살리자는 이나모리 가즈오 회장의 호소에 응답하여 고통스러운 구조조정 계획에 주도적으로 참여하고 실행하는 놀라운 변화를 보였다. 그 결과 회사는 13개월 만에 흑자로 돌아섰고, 3년이 채 안 되어 1차 파산을 했던 회사가 주식시장에 재상장되는 기적이 연출된 것이다.

"많은 사람을 실행전략의 주체로 만들어라. 가능하면 모두가 주체가 되면 가장 좋다."

그동안 내가 수도 없이 스스로 되뇌었던 조직 운영원칙이다. 명료한 전략목표와 추진방향을 공유한 상태에서 다수가 주체가 되면 탁월한 성과는 반드시 따라온다는 것이 나의 믿음이다.

원재료 부족으로 공장 하나를 폐쇄해야 했다. 일부 직원들이 회사를 떠나야 하는 참으로 고통스러운 상황이었다. 이런 경우 많은 기업이 구조조정을 밀실에서 계획하고 실행전략을 짠다. 사전에 구조조정 계획이 알려지면 거센 반발이 일어나니 조용히 밀실에서 진행한다는 것이다. 그러나 이런 행위는 오히려 오해와 갈등을 증폭시키는 경우가 많다.

나는 정반대 방식을 택했다. 처음부터 구조조정의 필요성을 여러 사람들에게 자세히 설명하였던 것이다. 물론 근로자 대표인 노조집행부에도 상세한 내용을 설명하고 이해와 도움을 요청했다. 노조의 가장 큰 관심은 노조원들을 포함한 모두의 생존 터전인 회사를 지키는 것이다.

나 또한 같은 목표를 위해 일하고 있으니 회사와 노조의 경계 같은 것은 아예 마음속에 없었다. 그저 나와 뜻을 같이하는 파트너라고 느꼈을 뿐이다. 그러니 무엇을 감추겠는가? 그들은 나의 계획이 회사의 생존을 위해서 불가피한 선택임을 이해해주었을 뿐 아니라 실행과정에서 생기는 많은 어려운 문제를 나보다 더 적극적으로 감당해주었다. 지금도 돌이켜보면 그들이 보여준 회사에 대한 진심 어린 애정과 희생이 눈물 날 만큼 감동적이다.

내가 한 외국사업장 경영책임자로서 지난 2008년 세계 금융위기를 돌파할 때 선택한 방법도 '직원들을 참여시킴으로써 주체로 만드는' 방식이었다. 나는 모든 직원에게 경영 상황을 투명하게 공개했다. 자세히 경영상황을 설명한 뒤에 원가절감과 품질 개선만이 살 길이라고 말하고 동참을 호소했다.

어떻게 이익을 극대화할 것인가 제안해달라는 요청에 직원들은 적극 반응해 주었다. 이익 극대화의 방법을 스스로 찾고 실행하며 회사와 자신을 분리하지 않게 된 것이다. 나와 너의 관계가 아니라 '우리' 회사가 된 것이다. 당시 경영책임을 지고 있던 사업장은 3개 현지 회사를 합병한 M&A의 후유증을 심하게 앓던 상황이다. 더구나 직원들로서는 한국 기업인 모회사를 '돈만 벌면 그만이고 망하면 떠나고 말 외국 회사'라고 여기고 있었다. 그러니 직원들이 회사에 무슨 애정이나 애착을 둘 수 있었겠는가?

그랬던 직원들이 경영의 주역이 된다는 느낌이 들기 시작하면서 회사를 외국 회사가 아닌 '우리 회사'로 받아들이기 시작한 것이다. 이렇게 조직이 변하니 성과 개선이 따라오는 것은 너무나 당연하지 않은가? 회사는 금융위기의 충격을 극복하고 적자의 늪을 탈출하여 기록적인 이익을 내기 시작하였다.

03

조직의 존재 이유는
무엇인가

내가 포스코에 입사했을 때 많은 직원들이 한국의 경제부흥을 책임지고 있다는 사명감으로 일하는 것을 보고 깊은 감동을 받았다. 포항 영일만의 모래바람 부는 불모지에 제철소를 건설할 때 "우리가 여기서 실패하면 우향우해서 영일만에 빠져 죽자."라고 외치며 일했다는 '우향우정신'에 대해서도 배웠다. 또 국가 경제 부흥을 이루는 초석이 되자는 '제철보국'의 정신은 사기업보다 열악한 보수조건에서도 직원들을 붙잡는 강력한 힘이 되었음을 느낄 수 있었다.

"나 지금 공장에 가봐야 한다."

죽음의 병상에 누워 있던 간부직원이 마지막 순간에 그렇게 말하며 회사 제복과 안전화를 찾았다는 전설 같은 일화는 지금껏 감동으로 기억하고 있다. 일의 의미를 깨우쳐주는 회사의 사명使命은 이처럼 직원들을 단순한 근로자에서 대의를 이루는 동지로 바꾸어놓기도 한다. 이것이 조직의 미션을 분명하게 세우는 작업을 진행하는 목적이다.

"도대체 일과 상관도 없는 이런 작업을 왜 시키는 거야?"

내가 조직의 구체적인 미션을 만들라고 지시할 때 일부 직원들은 수군거리며 이런 불평도 했다. 하지만 이 작업이 왜 필요한지 설명하고 설득하며 충분한 시간을 주고 발표를 시켰다. 작업이 끝나면 직원들은 많이 달라진 모습을 보여주고는 했다. 직원들은 여러 해를 근무했음에도 자신이 속한 팀이 정말로 무얼 해야 하는지, 그 일의 가치나 미래의 방향이 무엇인지 깊이 생각하지 못했는데 이제 생각이 깨어났기 때문이다.

섬김의 정신

많은 사람이 애창하는 프랭크 시나트라의 「마이 웨이My Way」라는 노래가 있다. 이 노래에는 다음과 같은 구절이 반복적으로 나온다. "난 내 방식대로 살았어I did it my way." '내 방식대로' 사는 오늘날의 시대정신을 반영하듯 이 노래는 엄청난 인기를 누렸다. 그러나 비즈니스 세계에서, 조직에서, 모든 인간관계에서 '내 방식대로 Do it my way' 하는 것은 망하는 지름길이다.

이 세상에서 우리가 보는 모든 사물은 자신이 아닌 다른 어떤 것을 위해 존재한다. 지금 내가 열심히 두들겨대는 노트북은 내가 일을 잘하도록 돕기 위해 존재하고, 내가 앉아 있는 책상과 의자는 내가 편안하게 일할 수 있도록 만들어졌다. 조금 눈을 들어 주위의 부하들, 후배 사원들, 동료들을 보면 모두 자신이 아닌 다른 사람의 일이 잘되게 하기 위해 그리고 결국 회사가 잘 되게 하기 위해 조직 안에 존재한다. 그렇다면 회사는 누구를 위해 존재하는가?

회사는 회사를 존재하게 해주는 고객에게 가치를 주기 위해 존재한다. 이러한 존재 이유를 잊는 순간 그 조직과 개인은 망하는 길로 이미 들어선 것이다. 그래서 나는 경영책임을 질 때마다 '마이 웨이'가 아닌 '저는 당신을 위해 여기 있습니다 I am here to serve you'라는 섬김의 정신을 조직 미션 수립의 기본 정신임을 강조했다. 즉 회사는 가치를 창출하여 고객에게 전달하기 위해 존재한다 (물론 고객은 그 대가로 회사에 돈을 준다). 그러므로 영업은 고객을 받들어야 하고 생산은 영업이 일하도록 받들어야 한다. 또 지원조직은 생산과 영업이 일을 제대로 하도록 받드는 것이 기본이다.

경영자는 이러한 모든 일이 제대로 돌아가서 회사가 고객을 제대로 받들도록 조율하는 것이 사명이라고 각 조직의 방향성을 분명하게 정의하였다.

미션 수립의 적용 사례

영업본부 직원들은 그동안 자신들의 역할이 생산된 제품을 빨리 팔아치우는 것이라고 생각했다. 제품이 워낙 부피가 커서 재고를 많이 쌓아놓을 수 없기에 어떻게든 빨리 파는 것이 중요했다. 그런데 여러 차례 토론과 고민 끝에 영업조직 미션을 고객의 시각에서 '우리 제품 취급률 일정비율 이상으로 유지하기'로 정하자 변화가 시작됐다.

제품의 취급률이 일정비율 이상으로 유지되려면 거래처의 충성도를 올려 진정한 사업 파트너로 만들어야 한다. 거래처를 장기적인 파트너로 보게 되면 판매물량 소화에만 집중할 때와는 아주 다른 시각에서 고객과 관계를 맺게 된다. 이렇게 함께 참여하여 미션을 정하고 시간이 흐르면서 영업본부의 일하는 방식이 달라졌다. 그 결과 같은 가격이면 경쟁사 제품보다 우리 제품을 쓰고 어려운 시장상황에서도 회사와 협력하는 거래처가 많아졌다. 회사의 수익성에 큰 보탬이 되었음은 물론이다.

생산본부 직원들도 오랫동안 단위시간당 생산량을 높이는 데 집중하며 살아왔다. 그렇게 되면 생산량이 늘어나고 제조원가는 낮아지기 때문이다. 그런데 문제는 시장이 공급과잉상태로 바뀌어서 많은 양을 만들어도 고객이 선택해주지 않으면 재고로 쌓이게 된다. 생산본부도 여러 차례 교육, 워크숍, 그룹토의를 통해 자신들의 미션을 새로이 정리했다.

그들도 고객에게 눈을 돌려 '고객이 다시 찾는 제품'을 생산하는 것으로 미션을 정했다. 이렇게 미션을 정리하자 생산본부도 일하는 방식이 차츰 바뀌기 시작했다. 생산량에 집중하던 그들이 이제 고객이 원하는 것이 무엇인지를 고민하면서 과거에는 생산을 꺼리던 제품까지도 고객이 원하면 만들려고 노력하게 된 것이다.

기획실 같은 스태프 조직의 미션을 정의하는 과정이나 결과도 크게 다르지 않다. 내가 이끌던 기획실 조직은 '코치진'이라는 그림언어로 미션을 정리했다. 이미 2002년의 월드컵 4강 신화와 2006년 독일 월드컵 참가로 축구 국가대표팀 코치진의 역할을 너무나 잘 알고 있었기에 이 용어를 빌린 것인데 그 효과는 컸다.

백날 "낮은 자세로 현업을 지원하라."고 명령하고 소리 지르는 것보다 그림자 무사처럼 티를 내지 않고 현장 직원들이 성공하도록 도와주는 존재인 코치진으로 정체성을 정리하니 행동과 업무방식이 그에 맞게 바뀌기 시작했다. 시간이 흐르면서 다른 부서의 직원들도 과거와는 달리 긍정적으로 바라보게 되었다. 군림하는 상위부서라고 욕을 먹던 조직이 달라진 것이다.

팀이나 개인의 경우에도 미션을 정의하는 과정을 거치면 일하는 방식이 바뀐다. 앞에서 이야기한 품질 개선 프로젝트에서 중요한 역할을 한 사람이 품질관리팀장이었다. 나는 팀장회의 중에 자동차에서 가장 중요한 부품이 무엇인지 물었다. 엔진이라는 대답이 가장 많았다. 나는 자동차의 가장 중요한 부품은 브레이크라고 이야기하며 그 이유를 이렇게 설명했다.

"엔진은 고장이 나더라도 생명에 직접 위협이 되지는 않습니다. 그러나 브레이크가 고장 나면 운전자는 생명을 잃을 수도 있습니다. 그러므로 자동차에서 가장 중요한 부품은 브레이크입니다. 제품 품질에 문제가 생기면 회사의 수익성이 심각한 위협을 받습니다. 그러니 품질관리팀은 회사의 생명을 지키는 브레이크입니다. 이제부터 팀장을 브레이크 박(가명)으로 부르겠습니다."

품질관리팀의 일을 자동차의 브레이크로 정의해준 것이다. 그가 품질관리팀의 역할을 제한적으로 생각하던 고정관념을 깨고 제품 품질 개선 프로젝트를 성공시키는 중요한 역할을 성공적으로 해냈음은 물론이다. 앞의 사례들에서 보듯 미션수립의 힘은 놀랍다. 여기에 '코치진' '브레이크 박' 같은 적절한 이름을 붙여주어보라. 그 이름이 큰 위력을 발휘한다.

04

강력한
팀의 구성

조직의 힘을 극대화하는 가장 중요한 시작점은 어디일까?

어느 스포츠팀이 실적을 내는 데 가장 큰 영향을 미치는 존재는 감독과 선수들이다. 그래서 팀의 성적이 계속 저조하면 구단은 감독을 교체한다. 감독은 우수한 선수로 팀을 구성하는 데 온 신경을 집중한다. 팀의 성적에 미치는 수많은 변수가 있을 것이다. 기량이 높은 선수, 훈련 프로그램, 과학적이고 체계적인 지원 시스템 등등. 그럼에도 감독과 선수가 가장 중요하다는 것은 상식이다.

회사나 조직 운영에서도 좋은 팀의 구성이 가장 중요하다. 조직 이야말로 리더가 움직여서 성과를 낼 수 있는 거의 유일한 수단이기 때문이다. 마치 축구경기에서 성적은 경기장에서 뛰는 선수가 만드는 것과 같다.

인재가 성공의 핵심 요소이다

크게 성공한 기업의 창업자가 이런 이야기를 하는 것을 듣고 감동한 적이 있다.

"나는 회사가 100억 원 매출 규모일 때 1,000억 원 매출규모에 걸맞은 인재를 영입하는 데 심혈을 기울였습니다. 그 후 회사가 1,000억 원 수준으로 성장해서는 다시 1조 원 수준의 회사에 걸맞은 인재를 영입하려고 애를 썼습니다. 이것이 내가 회사를 이만큼 키운 비결입니다."

그는 기업의 성공요인이 무엇인지 정확하게 꿰뚫어본 것이다. 나도 단위조직의 책임자일 때나 회사의 대표를 맡았을 때 변함없이 그의 말을 기억하고 실행하려고 애를 썼다. 그래서 회사에 핵심인재를 끌어들이려고 부단히 노력했다. 때로는 1년 이상 만나서 설득하며 공을 들인 일도 있다. 결국 그렇게 노력해서 인재들이 조직에 하나둘 합류하면서 조직의 힘은 점차 커지기 시작했다.

그리고 외부 인재 영입을 통해 내부 인재들도 자극을 받으며 역량 성장이 가속화되는 효과도 있었다. 칼은 칼과 부딪힐 때 날카로워지고 인재는 인재와 교류하고 자극을 주고받으며 능력이 향상되는 법이다. 철저한 순혈주의를 지키는 조직이 환경 변화에 대한 적응력이 떨어진다고 하지 않는가. 근친혼이 많았던 왕족들이 유전자의 다양성 결여로 많은 유전병에 시달렸던 것과 마찬가지로.

역사 속에서도 인재를 성공의 핵심요소로 생각한 사람들이 대성했다. 대표적인 존재가 중국역사에서 최고의 치세를 이룬 황제로 평가받는 당태종이다. 그의 성공비결은 인재 등용이었다. 심지어 정적이었던 사람조차 능력이 출중하면 등용했다. 그는 인재를 존중하였기에 신하의 충언을 함부로 거절하지 않았다. 『당태종 평전』에는 당태종이 신하의 질책이 두려워 피했다는 기록도 있다. 입바른 말을 한 신하에게 충언대로 하겠다고 한 약속을 어겼기 때문에 책망을 받을까 해서였다. 그렇게 신하를 소중히 여기는 황제에게 어찌 인재가 모이지 않겠는가? 인재를 알아보고 존중하는 황제와 출중한 신하들이 모인 그 시대는 '정관貞觀의 치治'라 불리며 중국 역사에서 최고의 시대로 인정받는다.

한나라를 건국한 유방도 인재를 모아 적재적소에 활용하여 천하를 차지했다. 반면에 항우는 자신의 능력만 믿다가 사면초가의 신세가 되어 멸망하지 않았는가? 유비가 역사에 이름을 남길 수 있었던 것도 제갈공명, 관우, 장비, 조운 등을 등용하여 천하를 도모했기 때문이다. 당태종, 유방, 유비의 성공의 핵심요인은 탁월한 인재를 기용한 것이었다.

인재 영입에 따른 거부반응을 해결하는 법

아픈 환자를 살리기 위해 장기이식을 해도 신체는 외부에서 이식된 장기를 죽이는 거부반응을 보인다. 조직에서도 이런 '거부반응' 기제가 작동한다. 외부 인재의 수혈이 필요하다고 모두가 동의했어도 외부에서 영입된 인재를 죽이려는 보이지 않는 시도가 지속적으로 이루어진다. 동질성이 강하고 보수적인 조직일수록 이런 경향은 더욱 심하다.

경력이 있는 직원을 외부에서 영입할 때 조직의 정서를 몹시 신중하게 다루어야 하는 것은 이 때문이다. 외부 인재 영입 시 기존 직원들이 상처를 받아 본능적인 거부감을 표출하고 영입된 직원은 적응에 어려움을 겪기도 한다. 이러한 '거부반응'을 극복하는 좋은 방법이 영입되는 직원과 함께 일하게 될 내부 직원들을 의사결정에 참여시키는 것이다. 의사결정 과정에서 솔직하게 영입 이유를 설명하며 그 프로세스에 참여시키는 것인데 꽤 효과적이다.

"우리가 이런 일을 하려고 하는데 내부 역량이 부족하지요? 그 일을 할 수 있는 이 사람을 영입하면 우리 전체의 성과가 개선될 겁니다. 게다가 그 직원 덕택에 우리도 뭔가 배울 수 있지 않겠어요?"

이렇게 해도 직원들은 속으로 거부감이 있을 수 있다. 하지만 적어도 외부 경력직원 영입을 수긍하는 분위기가 생겨난다. 일부 직원들은 자발적으로 외부 인재 영입을 적극 돕는 경우도 생길 수 있다. 이렇게 영입이 된 외부 인재들이 적응에 상대적으로 어려움을 덜 겪는 것은 물론이다.

물론 영입된 인재가 일할 때도 많은 신경을 써야 한다. 리더와의 개인적 인연으로 영입한 인재를 회사에서 대할 때 역차별이라고 느낄 정도로 개인적인 관심이나 지원을 하는 것이 좋지 않다. 자기 힘으로 적응하고 성과를 내야 새로운 조직에서 오래간다. 또 외부에서 영입한 직원과 함께 일하는 직원 모두가 상처를 덜 받아야 시너지 효과가 발휘되고 강력한 조직으로 성과를 낼 수 있다.

나는 리더가 외부 영입한 인재들만 별도로 관심을 가지고 보살

핌으로 조직 전체의 정서가 엉망이 되고 결국 보살핌을 받던 경력 입사자도 회사를 떠나고 마는 경우를 보았다. 조직 정서를 세밀하게 다루지 못한 결과였다.

인재가 꽃을 활짝 피우도록 도와라

나는 유능한 인재를 영입하려고 늘 애를 많이 썼다. 기존에 보기 어려운 유능한 인재를 끌어들이는 것이 꽤 흡족했던 보스에게서 이런 말을 들었다.

"자네가 조직의 본질을 바꾼 걸세."

보스는 외부의 유능한 사람을 영입할 수 있었던 것을 인간관계의 산물로 보고 이런 말을 했다.

"그동안 구경도 못했던 인재들을 끌어들이는 것을 보면 인간관계를 아주 잘한 모양이군."

사실 나는 그들과 인간적으로 친밀하기는 했다. 하지만 그것 때문에 자신의 인생을 걸 모험을 하는 사람은 적다. 나는 항상 함께 일하는 직원들이 꽃을 활짝 피우도록 길을 열어준다는 심정으로 일했다. 자신이 꽃처럼 피어나는데 행복하지 않을 사람이 그 누구이겠는가? 그래서 함께 일했던 직원들은 행복하게 일하게 되리라는 기대로 부를 때마다 웬만하면 달려와준 것이 아니었을까?

물론 그들을 아무 때나 부르지 않고 상황을 주의 깊게 살펴야 한다. 그들이 입사해서 단기간에 탁월한 성과를 낼 수 있는 조건이 갖추어져 있는지 확인하고 그 일을 다른 누구보다 잘할 준비가 됐는지도 살펴야 한다. 그리고 내부에서 같이 일할 사람이 잘 받아들이도록 사전에 공감대를 만드는 준비까지 해야 한다.

버스에서 내리게 해야 할 사람

회사가 전투조직이라면 고위 간부들은 전투를 이끌어가는 야전 지휘관이다. 리더와 함께 전략을 짜고 긴밀히 연락하며 전투현장을 지휘해야 한다. 리더의 분신처럼 움직이며 위험이 따르는 의사결정을 내려야 할 때도 있다. 그때 리더와 고위 간부들이 전략적인 방향성이나 목표에 대한 정렬을 제대로 이루지 못한다면 조직은 힘을 발휘할 수 없다. 그래서 조직을 전략 중심 조직으로 바꾸기 시작하면 고위 간부 중 어떤 사람은 함께 일할 수 없는 경우가 생기기도 한다. 짐 콜린스가 『좋은 기업을 넘어 위대한 기업으로Good to Great』에서 언급한 '버스에서 내리게 해야 할 사람'이다.

그럴 때 제갈공명처럼 읍참마속泣斬馬謖의 심정으로 과감하게 결단하지 못하면 조직의 변화는 제한적일 수밖에 없다. 조직이 임무형 지휘체계로 작동되기 원한다면 고통스럽지만 불가피한 선택을 해야 한다. 이러한 선택은 조직 전체에 전략적 정렬에 대한 리더의 의지가 얼마나 강력한가를 보여주므로 적당히 타협할 수는 없다.

나 자신도 새로운 조직을 맡고 초기 몇 달 안에 고위 간부들과의 전략적 정렬을 이루는 작업에 사활을 걸고는 했다. 이 과정에서 불행하게도 한두 사람을 조직에서 배제해야 하는 경우도 발생했다.

쉽지 않은 매우 고통스러운 결정이었다. 조직에서 배제된 사람들도 많은 상처를 입었으리라. 하지만 전략적 정렬에 실패하면 조직을 운영하는 데 심각한 어려움을 겪기 때문에 다른 선택은 없었다.

하지만 나의 책임 범위가 너무 빨리 커지면서 고위 간부진용에 충분한 전략적 정렬을 이루지 못하는 경우가 생기기 시작했다. 충분하게 육성되고 준비된 인재가 부족해서였다. 불가피하게 핵심 고위간부 자리를 외부에서 영입된 지 오래지 않은 사람에게 맡긴 적이 있다. 물론 그는 자신의 업무 영역에서 역량을 인정받은 유능한 사람이었다.

그러나 더 큰 책임을 지면서 상황이 달라졌다. 나는 비전 중심으로 조직을 이끌었지만 그는 큰 그림을 부하들과 명료하게 공유하지 않았다. 또 사업상의 중요한 사항에 대해서 명쾌한 의사결정을 하는 데 익숙하지 않아서 직원들이 혼란스러워했다. 일정 기간이 흐르면서 교체만이 유일한 선택임이 명확해졌다. 조직의 잠재력이 살아나지 못해 성과가 악화되기 시작했기 때문이다.

조직도 상처받으니 어루만져야 한다

회사에서 직원을 어쩔 수 없이 내보내야 할 때 당사자들을 비롯해 주변 사람들에게 아픈 상처가 생긴다. 어떤 경영자는 인사와 관련한 까다로운 문제를 언급조차 안 하려 하기도 한다. 그냥 피하는 게 상책이라 여기는 듯하다. 그렇지만 타조가 모래 속에 머리를 처박는다고 해서 무서움의 실체가 사라지지 않듯 피한다고 해서 직원들의 상처가 아물지 않는다. 한번은 모든 직원이 "저 직원은 조직에서 없는 게 도움이 된다."고 지목했던 직원을 내보내게 됐다. 팀워크나 업무에 지장을 줄 정도라서 불가피하게 결정을 내렸던 것이다.

그런데 정작 결정을 하고 나니 직원들이 웅성거렸다. 나는 전체 직원들을 한곳으로 모았다. 이런 상황은 조용히 처리하는 것보다 공개적으로 정면 돌파를 하는 게 낫다. 나는 직원들에게 왜 그 직원을 내보내게 됐는지를 자세히 설명했다.

"그 직원을 이 조직에서 그냥 안고 가면 그 직원은 여기서 성공할까요?"

직원들은 곰곰이 생각하더니 모두가 아니라고 했다. 또 한 번 물었다.

"그럼 아직 젊은데 다른 곳에서 기회를 찾고 자신에게 최적의 진로를 개척하도록 기회를 주는 것이 더 정직하고 그를 위해 유익하지 않나요?"

직원들은 그제야 고개를 끄덕이며 그 직원을 내보낸 것에 동의했다. 내보내야 했던 이유를 있는 그대로 설명하고 이해를 구했던 것은 직원들의 마음에 남았을 응어리 때문이다.

리더가 솔직한 소통을 선택하면 직원들의 불만은 쉽사리 잠잠해지고 조직은 정상적인 분위기를 되찾게 된다. 비록 그 상처의 흔적이 완전히 없어지지는 않더라도 상처가 아무는 계기가 된다. 리더는 직원 한 명을 내보내더라도 조직의 가슴에 멍울을 짓게 하지 않겠다는 마음을 품어야 한다. 조직은 하나의 인격체이며 감정을 가진 존재이고 늘 존중받아야 하기 때문이다.

최강의 조직은 바텀업으로 움직인다

팀이 잘되고 정서를 공유하게 되면 직원들이 지시를 기다리지 않고 필요한 일을 찾아내어 적극적이고 능동적으로 실행하기 시작한다. 전투 현장과 마찬가지로 기업 현장도 수많은 위험이 도사리고 있다. 그래서 많은 사람은 먼저 나서서 위험을 감수하면서 의사결정하는 것을 꺼린다. 의사결정의 결과가 실패로 끝나면 책임을 져야 하기 때문이다. 그러나 전략적인 목표가 철저히 공유되고 정서적인 연합이 이루어진 조직에서는 상황이 달라진다.

내가 한 외국사업장을 맡아서 수익성 개선을 통한 흑자전환이라는 어려운 과제에 매달려 있을 때였다. 영업본부 책임자가 유통구조를 개혁하겠다고 제안했다. 10여 년간 영업본부는 에이전트를 통해서 수출시장에 제품을 공급하였고 내수시장에는 극소수 대형 도매상을 통해 큰 물량을 판매하는 구조로 일해왔다. 그러한 방식은 중간업자에게 손쉽게 큰 물량을 팔아넘기기 때문에 상대적으로 영업이 쉽다. 그러나 중간업자인 에이전트와 대형 도매상은 자신들의 이익 극대화를 위해서 판가를 높이려는 노력은 하지 않고 어떻게 하든 낮은 가격에 물량을 더 많이 파는 데만 몰두한다.

그 결과 회사의 평균 판가는 상당히 낮게 형성될 수밖에 없는 구조였다. 그런데 오랫동안 굳어진 이런 구조를 깨뜨리고 실사용 고객들에게 직접 판매하는 구조로 바꾸겠다는 것이다. 십수 년 전 한국의 모 가전회사가 미국의 유명 브랜드 회사에 에어컨을 OEM으로 생산 공급하다가 그들과의 관계를 끊고 자신만의 독자적인 브랜드로 외국 수출시장을 개척하기로 결정했다. 기존 거래처의 대량 주문이 사라진 상태에서 아무도 알아주지 않는 독자 브랜드로 영업망을 개척해야 하는 위험한 전략이었다. 경영진은 회사의 미래를 위해 위험을 감수하며 도전했고 지금은 세계적인 에어컨 브랜드로 성장시켰다.

그는 이러한 위험을 감수하면서 유통구조를 개혁하자고 먼저 제안한 것이다. 나도 기존 유통구조의 폐해를 잘 알고 있는 터라 그의 제안을 받아들여 함께 회사의 목표로 공유하고 전폭적으로 지원해주었다. 그는 혼신의 힘을 다해 이 도전적인 과제를 풀기 위해서 동분서주하였다.

제안자 자신이 실행의 주체였으니 얼마나 일에 매달렸겠는가? 많은 이익의 기회를 놓치게 된 에이전트와 대형도매상은 심하게 반발했다. 심지어 한국의 회장에게 사실을 알리겠다며 협박하기도 하였다. 그러나 우리는 눈 하나 깜짝 않고 유통개혁 정책을 밀어붙였다. 그리고 몇 달 후 회사의 영업이익이 가파르게 증가하였다(영업이익률이 전년에 비해 6.0배로 높아짐*).

내가 먼저 지시하지도 않았는데 직원들이 위험을 무릅쓰고 적극적으로 의사결정을 주도하고 추진한 결과였다. 팀 구성이 제대로 되면 조직이 이렇게 바텀업bottom-up** 형태로 살아 움직인다.

---

* 공시된 감사보고서 기준
** 상향식 의사결정 구조. 톱다운Top-down과 반대되는 말.

05

당근과 채찍만 강조하면
패할 수 있다

    당근과 채찍은 잘못 사용될 때 조직의 잠재된 힘을 상당히 약화시킬 수 있다. 이스라엘의 한 어린이집은 부모들에게 아이들을 데려가는 시간에 지각을 하면 벌금을 물리겠다고 공지했다. 지각을 열 번 하면 3달러의 벌금을 받는다고 했는데 일종의 채찍인 셈이다. 이렇게 채찍을 휘둘렀으니 부모들의 지각은 당연히 줄어들어야 한다. 결과는 정반대였다. 오히려 지각 횟수가 두 배나 늘어났다.

    채찍을 휘둘렀지만 기대 배반의 결과가 나온 이유는 뭘까? 이 실험을 한 교수는 부모들이 지각한 대가로 벌금을 내면서 지각에 대한 미안한 감정을 덜 가지게 되었다고 해석한다. 심지어 벌금만 내면 늦게 가도 된다는 생각을 하게 된 것이다. 벌금이 오히려 역

효과를 일으킨 셈이다.

"에이, 이번에 한 번 혼나고 말지."

회사에서 채찍을 휘두르면 그렇게 생각할 수 있다. 그런 심리를 모르니 눈앞에 당근을 보여주고 채찍질을 가하면 뭔가 바뀌는 것처럼 착각한다. 하지만 인간은 보상과 징벌 때문에 자신의 생각과 행동을 근본적으로 바꾸지는 않는다.

단지 눈에 보일 때만 그런 척할 뿐이다. 더 큰 문제는 당근과 채찍은 조직의 진정한 힘의 근원인 인간의 본능적 욕구를 억누르고 자발적 의지를 약화시킨다는 것이다. 눈에 들기 위한 상벌체계에만 급급한 직원들이 회사의 미래와 자신 업무의 본질에 대해 얼마나 깊게 고민하겠는가? 그보다 당장 달콤한 보상을 받으려고 꼼수를 부릴 위험이 커지지 않겠는가?

스포츠에서도 당근과 채찍만 강조하면 팀은 분열되고 승리보다 패배가 더 많을 수 있다. 예를 들어 축구나 야구에서 개인의 기량과 성적을 기준으로 당근과 채찍을 내세우면 선수들은 팀워크보다 자신의 성적에만 신경을 쓰게 된다. 옆에 동료가 있어도 무리하게 혼자 문전까지 공을 몰고 가거나 희생번트를 대서 앞선 주자가 추가 진루를 해야 하는데 방망이를 마구 휘두른다.

훌륭한 감독은 당근과 채찍의 부정적인 효과를 알기에 팀워크와 플레이의 기본을 가르치는 데 집중한다. 그리고 선수들이 스스로 알아서 팀플레이를 고민하게 하고 시합을 풀어나갈 수 있는 자질을 키워나가게 한다. 선수들의 자발적인 플레이와 판단능력으로 어떤 상황에서도 이길 수 있는 팀을 만들려 노력한다.

경영자들도 팀워크를 중시하는 스포츠 감독의 지혜를 배워야 하지 않을까? GM코리아가 기존 성과급제가 조직문화를 해쳤다고 판단하여 호봉제로 바꾼 것도 기업들이 개별보상체계가 팀워크에 미치는 부작용을 심각한 문제로 인식하기 시작했다는 뜻이리라.

공유의 원칙에 따라 보상제도를 개선하라

그렇다면 당근과 채찍이 조직운영에 필요없거나 해로운가? 보상에 대해 상세한 논의를 할 수는 없다. 다만 제도를 개선하여 시행하거나 기존 제도를 운용할 때 다음 두 가지를 기억하려 했다.

첫째는 보상과 징벌제도를 직원들을 움직이는 주된 수단으로 여기지 않아야 한다. 리더는 조직의 자발적인 의지와 열정을 분출시킴으로 성과를 내야 하며 보상은 보조수단임을 한시도 잊지 않는 것이 중요하다. 금전적 보상은 분명 사람을 움직이는 강력한 힘을 지닌다. 그러나 사람이 외부의 힘에 의해 통제되기 시작하면 내면적이고 자발적인 의지는 약해진다. 일이 보상을 얻기 위한 수단이 되면서 일 자체에 대한 관심과 흥미도 사라지는 것이다. 에드워드 데시는 『마음의 작동법』에서 돈은 동기를 부여하지만 동시에 내면의 동기를 파괴한다고 결론짓는다.

둘째는 모든 보상에는 그 결실을 이루어낸 사람들과 함께 나눈다는 철학이 담겨 있어야 한다. 승진이든 금진적 보상이든 보스는 직원들과 좋은 것을 함께 나눈다는 원칙을 실천하는 것이 중요하다. 직원들은 결코 바보가 아니다. 회사 곳곳에서 일하는 직원들의 정보와 지식은 보스보다 더 자세하고 정확하다. 그런데 보스가 직원들을 마치 머슴 취급하며 이익을 혼자 독차지하면 어떻게 될까? 충성은커녕 직원들은 이런 보스에게 반드시 복수한다. 아주 다양한 방법으로 보스와 회사를 물 먹이는 것이다. 그러나 리더가 성과를 나누고 고통을 분담하면 직원들은 자발적으로 온 힘을 다한다.

소수의 몽골 군사로 세계 최대의 땅을 정복했던 칭기즈칸의 힘은 그의 부하들이었다. 그의 군대의 강력한 충성을 이끌어낸 칭기즈칸의 비결은 그 자신의 어록에 너무도 선명하게 나타나 있다.

"내 병사들은 밀림처럼 떠오르고 병사들의 처와 딸들은 붉은 꽃잎처럼 빛나야 한다. 내가 해야 할 일은, 무엇을 해서든 바로 그들의 입에 달콤한 설탕과 맛있는 음식을 넣어주고, 가슴과 어깨에 비단옷을 늘어뜨리며, 좋은 말을 타게 하고, 그 말들이 달콤한 강가에서 맑은 물과 싱싱한 풀을 마음껏 뜯게 하는 것이다. 또 그들이 지나가는 길에 그루터기 하나 없이 깨끗이 청소하고, 그들의 겔(천막형 몽골가옥)*에 근심과 고뇌의 씨앗이 들어가지 못하도록 막는 것이다."

자신을 믿고 따르는 부하들을 향한 가슴으로부터 나오는 절절한 애정이 느껴지지 않는가. 칭기즈칸의 군대 5만이 출병하면 10만이 되어 귀환하였던 것이 이해가 되고도 남는다. 리더가 칭기즈칸처럼 모든 달콤한 과실을 직원들과 함께 나누는 공유의 원칙에 따라 보상제도를 개선하고 운용할 때 조직의 힘은 극대화될 것이다. 어떤 형태의 보상이든 리더인 당신이 혼자 차지하지 말고 항상 공유

---

* 천막형 몽골가옥

하라. 당신이 가진 권한의 범위가 어디까지든지 공유의 원칙을 실
천하기 위해 노력해야 한다.

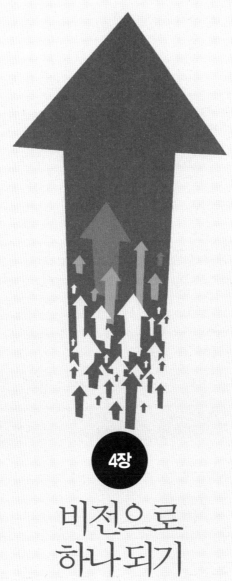

4장

비전으로
하나 되기

비전의 힘으로 조직을 빚어내며 스토리와 생각의 공유로
조직을 묶어낸다. 조직이 공포에서 벗어나고 능동적으로
움직이도록 하라.

01

공유된
비전의 힘

내가 대학에 입학했던 1979년은 격동의 시기였다. 신입생이었던 그 해에 '부마항쟁'이 일어나고 급기야 박정희 대통령이 서거하면서 정치적 혼란은 더욱 심해졌다. 대학 캠퍼스에서 누군가 반정부 구호를 외치면 사복경찰이 바람처럼 나타나 체포해가던 시절이었다. 학생들은 경찰의 눈을 피해 곳곳에서 대자보를 붙이며 데모를 하곤 했다.

국민과 점점 괴리되어 가던 정부와 체제에 대한 학생들의 분노는 컸다. 갓 대학에 들어온 신입생들이 몇 달 만에 민주투사로 변신하는 게 이상하게 느껴지지 않던 시절이다. 그중에서도 선배들의 권유로 이념 서클에 가입한 친구들의 변화는 놀라운 것이었다. 그들은 다양한 사회과학 서적을 읽으며 점점 한국 사회와 정치의 모순에 눈을 뜨게 되었다.

민주주의 실현이라는 대의를 위해 공포도 무릅쓰고 현실 참여의 길에 들어서는 친구들도 생겼다. 그들은 기회가 될 때마다 다른 친구들에게도 반정부 반독재의 논리와 사상을 전파했다. 사상이 사람을 어느 정도까지 변화시킬 수 있는지를 너무도 뚜렷하게 경험했다.

선교단체도 참으로 강력한 조직이다. 선교단체의 회원들은 헌금에다 봉사까지 하면서 많은 것을 희생한다. 심지어 장래의 좋은 직업과 사회적인 명예도 포기하고 선교의 길에 헌신한다. 누가 그러라고 강요하는 것도 아니고 금전적인 보상을 받는 것도 아니다. 그럼에도 모든 어려움과 고난을 무릅쓰고 단체의 비전을 이루는 데 몰입한다. 공유된 사상이나 이념, 종교적 가치와 신념의 힘이 얼마나 강한지 느낄 수 있는 경우이다.

그에 비교하면 기업조직은 이해하기 어려울 정도로 무기력하다. 회사는 직원들에게 경제적 안정과 사회적 소속감이라는 강력한 보상을 제공한다. 그렇지만 직원들은 이렇게 고마운 회사에 다니면서도 불행하다고 느끼기도 한다. 오죽하면 월요병이라는 말까지 생겼을까?

회사와 운명을 같이하게 하라

기업이 만약 이념 서클이나 선교단체처럼 가치를 기반으로 해서 공동의 꿈을 꾸는 조직이 된다면 어떻게 될까? 회사와 자신을 분리해서 생각하는 직원들이 공동의 꿈을 중심으로 회사와 운명을 같이할 수 있다면 참으로 강력한 조직이 될 수 있지 않을까? 또한 회사일에서 행복을 찾기 위해 일에 몰두하게 되지 않을까?

회사에서 하는 일을 대의를 위한 헌신이나 공유된 꿈을 실현하는 적극적인 참여로 받아들인다면 직원들의 말과 행동은 달라질 것이다. 업무를 자신의 신념, 가치, 꿈을 실현하는 과정으로 여긴다면 얼마나 즐겁겠는가? 이상적인 조직은 공유된 가치, 사상, 꿈의 힘으로 움직여야 한다.

기업이 가치와 사상과 공유된 꿈으로 움직이는 조직이 되기 위해서는 명확한 꿈의 공유가 필요하다. 마치 이념 서클이나 선교단체가 비전을 공유하듯이 기업조직도 큰 그림을 함께 그리고 공유할 수 있다면 직원들이 기업을 자신과 별개의 것이라 여기지 않게 된다. 그런데 이런 조직을 만드는 것은 일방적인 주입식 교육이나 강요로 되는 게 아니다. 어느 날 직원 한 사람이 내게 이런 말을 했다.

"이사님은 토끼몰이의 대가이세요."

선뜻 그 말의 뜻을 이해하지 못해서 물었다.

"그게 무슨 소리지요? 토끼몰이라니……."

"시골에서는 겨울에 종종 토끼를 잡죠. 사람들이 토끼를 잡으려고 여기저기 소리 지르며 뛰어다녀요. 토끼는 살려고 재빠르게 도망을 다니지요. 그런데 죽기살기로 도망간 토끼가 다다르는 곳은 사냥꾼이 준비한 덫이 있는 곳이랍니다."

그가 보기에 내가 직원들을 토끼 몰듯 한다는 것이다. 강제로 지시하거나 명령하며 윽박지르지 않고 여기저기 슬쩍슬쩍 건드리니 직원들이 스스로의 의지로 전력질주를 하게 되는데 후에 도달한 곳을 보니 모두 내가 목표한 곳이더라는 것이다.

토끼가 전력으로 뛰는 동안에 억지로 끌려가는 게 아니듯이 자신도 끌려간 것이 아니라 스스로 달렸다는 것이다. 그런데 나중에 돌아보니 내가 원하는 곳으로 달렸다고 탄복을 하는 것이다.

그는 경영혁신을 담당하고 있었다. 혁신 작업이 으레 그렇듯이 직원들이 혁신 피로감을 호소하며 부정적인 반응을 보일 때 그는 힘껏 직원들을 설득해서 새로이 도입한 혁신 툴을 성공적으로 정착시켰다. 한번은 토요일 오후 늦은 시간에 그와 통화했는데 여전히 혁신작업을 위해서 직원들과 머리를 맞대고 고심하고 있었다. 지시를 받은 것도 아니고 일정에 압박을 받은 것도 아니었다. 나는 그런데도 그렇게 열심히 일하는 것에 감동하여 그에게 이렇게 말했다.

"나는 그 나이에 그만큼 일하지 못했는데 일하는 모습이 참으로 존경스럽습니다."

꿈은 액자가 아니라 가슴속에 살아 있어야 한다

조직이 함께 달리게 하려면 먼저 공유하는 꿈이 있어야 한다. 그리고 그 꿈이 그저 회사의 꿈, 액자에 걸린 비전이 아니라 모두의 가슴에 살아 있는 것이어야 한다. 이렇게 직원들이 함께 품은 꿈은 강력한 힘이 되어 조직을 움직이게 한다. 이런 조직의 꿈, 즉 비전을 만드는 작업은 앞서 이야기한 대로 직원들이 가능한 많이 참여하여 바텀업 형태로 하는 것이 가장 좋다.

모 대기업 그룹 내에서 최악의 평가를 받는 회사가 있었다. 경영실적은 좋지 않았고 회사 분위기도 엉망이었다. 사장이 새로 부임하여 직원들을 모아놓고 그룹 내 100여 개 회사 가운데 그룹 본부에서 가장 먼저 매각하거나 청산할 회사를 상위 일등부터 종이에 적어내게 했다. 그 결과 그 회사는 청산 우선순위 2등으로 뽑혔다. 사장은 직원들에게 말했다.

"모두 알다시피 우리 회사는 그룹에서는 누구도 좋아하지 않는 골칫덩어리입니다. 나도 이런 회사 사장을 맡았으나 하기 싫습니다. 모두 관두고 회사를 없애버리는 게 어떨까요?"

직원들은 놀라서 이구동성으로 말했다.

"그래도 우리는 처자식이 있으니 월급을 받아야 합니다. 회사가 없어지면 안 됩니다."

사장은 그렇다면 대체 어떻게 할 것인지 직원들에게 정하라고 했다. 직원들은 함께 토의하여 "1년 후에는 평가에서 최상위 등급을 받는 회사, 흑자를 내는 회사가 되자."는 비전을 만들었다. 사장이 강압적으로 지시했다면 도리어 반발했을 것이다. 그러나 자기들이 만든 꿈이 아닌가? 1년 후에 그 회사는 그룹 내 모든 회사 가운데 상위권 평가를 받고 흑자전환에 성공하는 놀라운 성과를 거두었다. 자기들이 직접 그린 꿈이었기 때문이다.

나도 조직 운영에서 유사한 경험을 참 많이 했다. 한 번은 새로운 고부가가치 제품사업을 구체화하면서 전담조직을 만들었다. 신

설조직 책임자는 직원들과 함께 새로운 조직의 꿈을 그렸다. 여러 날 함께 고민하면서 현재 매출 규모를 수년 내 2.5배로 성장시키겠다는 비전을 정했다.

"참으로 도전적이긴 한데 과연 될까?"

속으로 그런 생각이 들었다. 목표가 달성되려면 시장점유율이 50퍼센트를 넘어야 한다. 그런데 강력한 원가경쟁력을 갖춘 소규모 업체들이 시장을 쉽게 포기하지 않을 것이기 때문이다. 하지만 강제로 할당한 목표도 아니니 굳이 기죽일 필요는 없어서 격려를 해주었다.

시간이 몇 년 흐르면서 놀라운 일이 생겼다. 그 사업의 매출이 그가 제시한 2.5배 성장목표에 근접하는 모습을 보게 된 것이다. 강제로 그 목표를 주었다면 아마도 너무 높다며 온갖 구실로 낮은 목표를 잡으려고 했을지 모른다. 그러나 그들은 자신들이 의견을 모아 직접 만든 꿈이기에 이루어보기 위해서 전력투구했다. 그 결과 꿈에 근접한 결과를 만들어내면서 많은 사람을 놀라게 한 것이다.

스태프 조직도 다르지 않다. 한 팀장급 직원은 관행으로 일하던 현실에서 벗어나 더 큰 그림을 그렸다. 그가 맡은 팀은 원래 사무실에서 분석보고서를 만드는 존재감이 약한 조직이었다. 하지만 그는 워크숍에서 팀과 자신의 역할을 정리하는 과정에서 '회사의 경영 현상을 진단하고 처방하는 의사'라고 새롭게 정의를 내렸다. 단순한 보고서 작성자에서 회사의 전반적인 경영상황을 진단하고 처방을 하는 핵심 조직으로 새롭게 인식한 것이다. 그리고 그러한 새로운 꿈을 '청진기를 든 의사'의 이미지로 시각화하여 발표했다.

그의 팀은 발표 후부터 완연히 달라졌다. 사무실에서 자료만 보며 정기적인 보고서 생산에 그치지 않고 경영상황의 실체를 파악하기 위해 밤낮없이 현장을 뛰어다녔다. 당연히 보고서에는 생생한 분석과 개선 아이디어들이 가득 차게 되었다. 결국 이듬해 회사 창립기념일에 그의 팀은 최우수 팀으로 선정되는 영예를 누렸다.

응원의 힘

2002년 6월은 꿈꾸는 것 같았다. 한일 월드컵! 온 국민이 그렇게 정서적으로 하나가 되었던 적은 한민족 역사상 전무후무한 일이었다고 한다. 그러한 엄청난 집단 에너지의 분출은 '월드컵 16강 진출'이라는 꿈을 통해 온 국민이 하나로 뭉쳐졌기에 가능한 일이었다.

전 국민의 응원이 축구장에서 뛰는 선수들에게 과연 영향을 미쳤을까. 두 사람을 똑같이 얼음 위에 맨발로 세우고 한 사람은 옆에서 응원해주고 괜찮으냐고 걱정해주고 다른 사람은 아무도 곁에 없는 상태로 오래 견디는 실험을 했다(참 잔인한 실험이다). 결과는 예측한 대로 응원을 받는 쪽이 항상 더 오래 견뎠다. 공유된 정서의 힘은 이렇게 실제적이다. 2002년 월드컵에서 정서를 공유한 국민의 응원은 실제적인 힘이 되어 선수들을 도왔던 것이다.

이렇게 집단이 품은 꿈, 즉 비전은 실로 어마어마한 힘을 발휘하면서 미래를 창조하고 역사를 바꾸어간다. 비전이 명료하면 할수록, 깊이 있게 공유되면 될수록 그 힘은 강해진다. 2002년 월드컵

이 그랬고 마틴 루터 킹 목사의 흑백 인종 간의 평등한 비전 선언이 그랬다. 꿈이 모든 불가능한 장애물을 극복하고 현실이 된 사례들은 무수하게 많다.

비전의 힘

소위 토끼몰이를 제대로 하려면 회사와 개인을 연결하는 고리가 되는 조직 구성원의 개인 비전, 즉 꿈이 있어야 한다. 구성원 내면의 열망을 표현하는 꿈과 비전을 회사의 방향과 일치시켜 하나로 통합해야 조직의 잠재된 힘이 표출되어 성과로 연결된다.

모든 사람의 가장 중요한 관심사는 자기 자신이고 자신의 미래이다. 그런데 그 미래가 너무나 불투명하다. 나이 마흔을 넘긴 직장인들은 점점 불안에 시달린다. 선배들이 정년퇴직 나이가 되기도 전에 회사를 떠나 경제적 어려움을 겪는 모습을 보며 불안해한다. 그래서 마음을 정하지 못하고 늘 다른 기회를 찾아 기웃거린다. 젊은 직원들도 이런 선배들을 보며 방황한다.

또 회사에는 온갖 부류의 힘든 사람들이 있어서 직원들 간 갈등이 존재한다. 업무 스트레스도 있다. 어쩌면 하루의 일과가 고통의 연속인 날도 있을지 모른다. 다양한 이유로 일에 집중하지 못하고 사춘기 아이들처럼 방황하는 모습은 쉽게 볼 수 있지 않은가? 직원들의 마음이 이래서야 조직이 힘을 낼 수 있을까?

그러나 꿈은 현실의 모든 고통과 갈등을 이겨내는 현실적인 힘이 된다. 미래에 대한 명확한 꿈과 비전을 품은 사람들은 어려움에

눌리지 않는다. 꿈은 마약보다 강하게 오늘의 고통을 잊고 미래를 위해 매진하도록 한다.

통계에 의하면 햇빛의 양이 아주 적은 북유럽의 사람들 가운데 우울증 환자가 많다고 한다. 봄의 화사한 햇빛이 비치는 길을 걷다 보면 아주 기분이 좋아지곤 하는 것을 보면 그 반대 현상도 역시 이해가 된다. 사람은 그렇게 눈으로 들어오는 것의 영향을 강하게 받는다.

단순히 일조량뿐이 아니다. 불쾌한 것을 보면 신체적 고통까지 느끼기도 하고 반대로 유쾌한 것을 보면 마음의 아픔도 치유가 된다. 그걸 이용한 게 색채 치료요법이다. 마음의 눈으로 자신의 밝은 미래를 구체적으로 그리고 그 그림과 현재 자신의 일을 연결 지으며 산다면 하루하루의 일을 대할 때 힘과 에너지가 솟아나는 것도 같은 원리이다.

그렇게 미래의 그림을 현재에 투영시키며 노력할 때 어느 순간 그리던 미래가 현실이 될 것이다. 이것이 비전의 힘이다. 아무리 바빠도 직원들에게 비전을 이야기하게 하고 오늘의 일과 삶을 연결해주어야 하는 이유가 여기에 있다.

가능한 많은 직원과 개인의 미래에 관하여 이야기하면서 구체적으로 꿈을 그리게 해야 한다. 개인별 비전을 만들기 위해서는 꿈과 비전에 관해서 직원들에게 교육하면서 분위기를 잡는 것으로 시작하면 된다. 비전의 힘을 다룬 좋은 책들이 많으니 함께 독서를 하며 시작하는 것도 좋은 방법이다.

나는 켄 블랜차드의 『비전으로 가슴을 뛰게 하라』를 함께 읽기도 했다. 그리고 개인별 비전을 작성하되, 막연하거나 추상적이 아니라 아주 구체적인 그림을 그리게 해야 한다. 꿈을 그릴 때 사진이나 그림 같은 이미지를 사용하면 더 좋다. 예컨대 자신이 미래의 본부장이 되어 있는 모습, 또는 한 기업의 대표가 된 모습 등을 그려서 구체적으로 설명하는 것이다.

그리고 직접 리더 앞에서 발표하게 해야 한다. 직원들과 1 대 1 비전면담 일정을 짜고 체계적으로 진행하는 것이 좋다. 리더는 주의 깊게 듣고 격려해주며 회사와 소속조직의 목표와 정렬이 되는 현실적인 꿈이 되도록 조언한다. 필요하면 꿈이 정교하게 다듬어질 때까지 몇 차례 면담을 계속해야 한다.

직원들이 꿈을 만들어 조직의 목표와 연결되면 일을 하라고 시키지 않아도 스스로 일에 몰입하기 시작한다. 그렇게 일에 대해 자발적으로 고민하고 능동적으로 움직이는 직원들이 하나둘 생기면서 조직의 분위기는 빠르게 바뀐다. 한 직원은 나와 함께 일하던 당시를 이렇게 회상했다.

"몇 달 만에 모두가 그렇게 신이 나서 일하는 사무실 분위기로 바뀌는 것이 참으로 신기했어요."

당시 함께 일했던 한 여직원은 너무나 회사 일이 재미있어서 일에 몰두하다가 남편으로부터 월급쟁이가 도대체 무엇 때문에 그렇게까지 회사일에 신경 쓰느냐는 핀잔을 듣기도 했다고 한다. 그녀는 일요일이 되면 월요일이 기다려질 정도로 회사일이 너무나 재미있었다는 것이다. 회사에서 자신의 꿈을 구체화시키는 과정이 진행되면서 이런 변화들이 생긴다.

비전은 구체적이고 생생하게

자기에게 절실하거나 혹은 마음을 움직이게 한 미래의 모습이라면 어떤 것도 꿈이 될 수 있다. 내가 아는 어떤 직원은 비전발표 워크숍을 할 때 자신은 15년 후에 여러 직원들이 모인 자리에서 한 손을 주머니에 넣고 이야기하는 대표이사가 되는 것이 꿈이라고 했다. 추상적인 목표가 아니라 대표이사가 되어 사람들 앞에서 이야기하는 구체적인 모습에 미래의 자신을 투영한 것이다. 이유를 물어보니 회장을 비롯한 모든 임직원이 참석한 자리에서 대표이사가 손을 주머니에 넣고 주제발표를 하는 모습이 부러웠고 자신도 그렇게 되고 싶다는 생각을 했다는 것이다.

그는 후에 새로운 아이템의 개척영업을 담당했다. 그 업무는 쉽지 않은 일이었다. 기존에 없던 전혀 새로운 아이템이었고 영업방식도 전혀 새로운 형태였다. 고객들은 낯선 것을 채택하는 번거로운 수고를 거부하는 특성이 있기 때문이다. 그러나 그는 건설사 디자인실과 가구제조사의 디자인실을 끈질기게 오가며 그 어려운 개척영업을 훌륭하게 수행했고 새롭게 추진하던 사업영역을 한 단계 발전시키는 데 결정적인 역할을 했다. 이런 성과를 내며 성장하는 데 그가 직접 그린 구체적인 꿈이 강력한 힘이 되었을 것이다.

한 직원은 개인 비전을 발표하는 자리에서 자신이 회사의 CFO가 되겠다는 야무진 꿈을 발표했다. 그때만 해도 그는 영어를 한마디도 못해서 글로벌 기업으로 성장하던 회사에서 이루기 어려운 비전으로 보였다. 게다가 그의 업무량도 엄청나서 영어공부를 할 시간도 없었다.

그러나 수년 후 그는 외국사업장으로 발령을 받았다. 외국 근무를 하게 되면서 영어실력도 부쩍 늘었다. 그리고 미래에 대한 구체적인 꿈을 품었기에 업무추진도 매우 적극적이었고 다른 부서의 업무영역에도 깊은 관심을 두고 협업을 하며 업무역량을 키워나갔다.

지금도 특별히 기억나는 여직원이 있다. 전문대나 고등학교를 졸업하고 입사한 여직원들은 승진이 제한적이고 업무도 보조 역할에 국한되어 있었다. 회사에서 자신의 꿈을 펼치기에는 제도의 벽이 너무 높았던 것이다. 그녀들이 비전을 발표할 때마다 나는 늘 긴장했다. 이런 현실적인 제약을 알고 있기 때문에 격려하며 용기를 줄 말을 찾기가 쉽지 않았기 때문이다.

그녀는 인사팀에 근무하고 있었는데 인사 지원업무 전문가로 성장하고 싶다고 했다. 대담한 꿈이라는 생각이 들었다. 하지만 그 꿈을 포기하지 않으면 반드시 이룰 것이라고 격려해주었다. 몇 해가 흐른 후 그녀는 ERP의 인사모듈 담당자로 선정되어 훈련을 받고 시스템 구축에 참여하였다. 지금은 승진도 하여 인사 IT 분야에서 없어서는 안 될 전문가가 되어 있다.

이처럼 꿈을 구체적으로 그리면 모든 장애물을 도전과제로 바라보고 노력하게 된다. 그러면서 개인과 조직 전체가 변하는 것이다.

비전 내림과 비전 분출

내가 아는 어떤 임원은 '비전 내림'이라 불리는 면담을 통해 직원들의 가슴에 불을 질렀다. 직원들이 업무상 어려움을 겪어 좌절하면 그는 예의 '비전 내림' 면담을 하며 꿈을 새롭게 해주고는 했다. 마치 무당에게 신이 내리듯 그가 직원들과 면담하며 꿈을 불어넣어 주면 면담 이전과는 완전히 다른 사람이 된 듯 일했다. 이런 모습을 보며 직원들이 그렇게 부른 것이다.

그는 비전 내림을 통해 꿈꾸는 조직을 만들었기에 7년 만에 대리에서 임원까지 승진하는 신화를 썼다. 현재는 40대임에도 큰 기업의 사장으로 일하고 있다. 내가 설명한 비전 수립은 비전 내림보다 더욱 강력하고 지속적이다. 비전 내림이 일방적으로 상사가 제시한 비전이라면 비전수립은 직원들 스스로가 직접 그린 꿈이기 때문이다. 굳이 말하면 비전 분출이라고 할 수 있지 않을까?

02

공유된 스토리의 힘

사랑해서 결혼한 부부도 다툴 때가 있다. 하물며 서로 다른 두 인격체가 만나 일하면서 갈등이 없을 수 있겠는가? 수많은 사람이 모인 조직에서 어찌 생각이 쉽게 일치되겠는가? 여러 직원의 마음을 일치시킨다는 것은 수백 마리의 소떼를 몰고 가는 것만큼 어려울 것이다.

그러나 노련한 카우보이들은 개 몇 마리를 데리고 광활한 초원에서 수백 마리의 소떼를 몰고 다닌다. 제각각 풀을 뜯던 소들은 카우보이의 지시에 따라 순순히 움직여 간다. 리더들도 많은 수의 직원들이 한 방향으로 향하게 하는 가장 좋은 방법을 끊임없이 찾고 있다. 나의 경우는 독서토론이 비용이 적게 들면서도 아주 효과적이었다.

직원들과 함께 책을 정해서 읽고 토론하면 아주 좋다. 같은 책을 읽으며 토론하면 생각의 흐름이 점차 비슷해지고 소통의 비용도 줄어든다. 어려운 책일 필요도 없고 역사소설도 좋다. 스토리가 있는 책들은 직원들의 생각과 행동까지 바꾸는 힘이 있다. 함께 책을 읽는 것이 소리치고 명령하는 것보다 더욱 효과적으로 조직을 바꾼다. 매달 1권 정도의 책만 꾸준히 읽어도 충분하다.

내가 즐겨 사용한 책은 주로 스토리가 있는 쉬운 책들이었다. 엘버트 허버드가 쓴 『가르시아 장군에게 보내는 편지』라는 소책자도 그중 하나였다. 책의 시대적 배경은 1898년에 쿠바를 둘러싸고 미국과 스페인이 전쟁을 벌이던 시기다.

줄거리는 아주 간단하다. 미국의 매킨리 대통령은 스페인에 저항하는 쿠바의 지도자인 가르시아 장군에게 밀서를 보내야 했다. 그런데 반군으로 활약하는 가르시아 장군은 동에 번쩍 서에 번쩍하며 옮겨 다니므로 밀서 전달은 쉬운 일이 아니었다. 게다가 적군인 스페인군의 눈을 피해야 하는 위험천만한 임무였다.

밀서 전달을 맡은 사람은 로완이라는 젊은 중위였다. 로완 중위는 대통령의 밀서를 무사히 가르시아 장군에게 전달한다. 그러나 이 책의 포인트는 로완 중위가 임무를 처음 듣게 되었을 때의 반응이다. 로완 중위는 대통령으로부터 밀서를 받고서 가르시아 장군이 어디에 있느냐고 묻지 않았던 것이다. 그는 주어진 임무를 완수하는 방법을 스스로 찾아내어 무사히 가르시아 장군에게 메시지를 전달했다.

독서토론에서 로완 중위의 이야기를 읽은 직원들은 서로 로완이라고 부르기 시작했다. 로완 중위를 자신에게 투영시키고 그런 태도로 일하자는 의미였다. 직원들이 서로를 로완이라 부르는 중에 공유된 스토리를 기억 속에 강화시키는 과정이 진행되었다. 직원들의 일하는 자세가 그 스토리처럼 변화되기 시작한 것은 물론이다. 그렇듯 공유된 스토리를 가지고 의사소통을 하면 상사가 성실과 책임감을 가지고 일하라고 수백 번 강조하는 것보다 훨씬 효과가 있다.

독서경영

바다를 직접 보거나 그림책이나 TV를 통해 본 아이들은 바다라고 말하면 무엇인지 안다. 하지만 바다를 한 번도 본 적이 없는 아마존 밀림 속의 원시부족 아이들은 바다라는 말을 들어도 도통 무슨 뜻인지 이해할 수 없다. 그래서 이런 아이들과 이야기할 때 바다라는 단어는 아무런 의미가 없다. 회사에서도 이런 경우가 얼마나 많은가? 독서토론회는 생각의 불일치로 쌓인 이런 단절의 벽을 허물어준다.

내가 당시에 사용했던 책들은 『가르시아 장군에게 보내는 편지』 『카네기 리더십』『육일약국 갑시다』『칭찬은 고래도 춤추게 한다』 『경호』『좋은 기업을 넘어 위대한 기업으로』『성공하는 기업들의 8가지 습관』 등등 이다. 또 간부들과는 『초한지』『삼한지』 같은 장편 역사소설도 함께 읽었다.

책들을 선정하여 함께 읽으면서 공유된 스토리와 언어를 가지면 리더의 시간과 에너지를 많이 절약할 수 있다. 수많은 직원을 상대로 일일이 설명을 하지 않아도 되기 때문이다. 예를 들면 리더가 조직의 변화관리에 대해서 직원들과 이야기할 때『삼한지』를 같이 읽은 사람들에게 김유신 장군처럼 하자고 하면 얼마나 쉬운가? 소설에서 김유신은 혁신을 추구하면서도 모든 이들을 자기의 편으로 끌어들인 탁월한 변화관리자로 그려지기 때문이다.

새로운 혁신방법론을 직원들에게 전달할 때도 딱딱하고 두꺼운 책보다 쉽게 이해할 수 있는 책을 사용하면 좋다. 쉬운 것이 아름다운 법이다. 예를 들어 경영혁신을 추진할 때 제약이론(TOC; Theory of Constraint)을 방법론으로 선택했다면 기본교육을 위해서 소설형태로 풀어쓴『더 골The Goal』같은 책이 좋다. 소설이어서 이해하기도 쉽고 재미도 있다.

그런 기초가 있으면 높은 비용이 드는 외부 컨설팅의 도움이 거의 없이도 자체적으로 혁신작업을 성공적으로 수행할 수 있다. 이처럼 독서토론은 직원들의 생각을 하나로 모으는 강력한 수단일 뿐 아니라 역량을 향상시키는 효과적인 방법이다.『삼국지』에 등장하는 많은 영웅 중에 나의 마음을 사로잡은 사람은 제갈공명이다. 거의 신기에 가까운 수준으로 적의 움직임을 정확히 예측하고 기상 변화까지 예상하여 전략을 세우는 능력은 가히 사람의 수준을 뛰어넘는다.『삼국지』가 과장이 심한 소설임을 감안하더라도 제갈공명이 아주 탁월한 전략가였음은 틀림없는 것 같다.

그는 그러한 능력을 어디서 얻었을까? 전쟁터를 경험해본 적도 없이 글만 읽던 백면서생이 어떻게 앉아서 천리를 보는 수준의 전략을 구사할 수 있었을까? 수많은 전투현장의 경험에서 필승전략을 뽑아 정리한 병법서를 읽었기 때문이다. 그는 많은 전투경험을 한 장군들보다 훨씬 탁월한 실전전략을 구사했다.

이순신은 원래 대부분의 군생활을 육군으로 지냈다. 왜군이 쳐들어오기 전까지는 바다에서의 실전경험도 많지 않았다. 그러나 그는 영국의 넬슨 제독조차도 지극한 존경을 표할 만큼 해전에서 전략의 천재였다. 그의 전략적 능력은 어디서 나왔을까? 병법서를 읽었기 때문이다. 나도 직원들이 조직과 자신의 꿈을 이루기 위해 역량을 키우는 가장 좋은 방법이 독서라고 믿었다. 내가 직원 한 명과 면담을 하는데 술 냄새가 풀풀 났다.

"대체 어제 소주를 몇 병이나 마셨기에 이리도 술 냄새가 나지요?"

"아, 죄송합니다. 소주 두 병을 마셨습니다."

"그래요? 그럼 앞으로 소주 한 병당 책 한 권을 읽기로 나와 약속합시다. 어제 두 병을 마셨으니 두 권을 읽으면 어때요?"

그러고는 그 자리에서 두 권을 지정해주었다. 그 후로 그는 책을 더 읽고 술도 줄였다고 했다. 다음은 내가 독서토론을 위해 많은 어려움을 이기고 기업을 성공시킨 이야기를 담은 책을 추천하며 했던 말이다.

"개를 움직이지 못하도록 견고한 틀에 묶어놓고 전기고문을 가합니다. 개는 도망치려고 안간힘을 쓰지만 묶여 있으므로 움직이지 못합니다. 그렇게 주기적으로 개를 묶어놓고 전기고문을 가합니다. 고문이 반복되면서 일정 횟수가 지나면 개는 드디어 체념

합니다. 그리고 더는 도망치려는 노력을 포기합니다. 이제는 개를 풀어놓습니다. 그리고 다시 전기고문을 가합니다. 개는 도망을 갈까요?

실험한 결과 놀랍게도 개는 묶인 것이 풀렸지만 전기고문을 피해 도망치지 않습니다. 분명 이제는 도망칠 수 있는데도 말입니다. 이것이 절망의 내재화입니다. 우리는 살면서 작든 크든 반복적인 좌절을 경험해 왔습니다. 온갖 힘을 써보지만 뜻대로 안 되는 절망적인 상황. 그리고 그러한 좌절의 경험이 일정 횟수가 지나면 이제는 체념합니다. 그 좌절과 체념이 내재화됩니다. 그래서 분명 새로운 시도를 할 수 있는 상황에서도 움직이지 않습니다. 우리는 모두 정도의 차이는 있지만 이러한 좌절의 내재화 성향을 가지고 있습니다.

우리가 분명 잘할 수 있고 누가 봐도 잘할 수 있는 상황임에도, 안 된다고 말하는 데 익숙해진 겁니다. 그리고 잘할 수 있는 것이 남의 눈에는 다 보이는데 이상하게 우리의 눈에는 보이지 않습니다. 절망의 내재화 증상입니다. 나는 이번 독서토론회가 이러한 우리 내면의 장벽을 깨뜨리는 시작점이 되기를 바랍니다.

진정 자신의 내면의 높고 두꺼운 벽을 깨고 자신과 회사가 성공하기를 열망하는 사람은 누구든지 이 책 한 권 정도는 읽지 않고 배기지 못할 겁니다. 우리 모두가 이제까지 안 뒤다고 생각하던 장벽을 부수고 자신을 성공시키고 회사를 성공시키는 진정한 주역이 반드시 될 것을 믿어 의심치 않습니다."

온라인 및 SNS 소통

리더는 다양한 형태의 직접 소통을 중시하고 직원들과 대면하여 이야기하려고 노력하는 것이 필요하다. 하지만 오프라인의 물리적 한계를 극복해서 소통을 지속하기 위해 온라인 소통이나 SNS를 활용하는 것도 좋은 방법이다. 페이스북이나 블로그와 같은 공간에 주기적으로 글을 쓰거나 밴드나 트위터를 활용한 생활밀착형 소통도 유용하다. 글로 소통하는 방식은 대면소통과 보완이 될 때 상당한 장점이 있다. 무엇보다도 많은 사람과 소통이 가능하고 또 시간이 흐른 후에도 직원들이 리더의 생각을 읽을 수 있다.

내 경우에도 온라인 공간에 글을 써서 대면소통의 한계를 극복하려 노력했다. 글이 어느 정도 쌓였을 때 워크숍에서 나의 글을 가지고 게임을 진행한 적도 있다. 칼럼의 내용을 그림으로 표현한 것을 보여준 뒤에 내용을 맞추는 게임을 한 것이다. 무작위로 추첨해 뽑힌 직원은 그림을 보고 칼럼의 내용을 설명해야 했는데 잘들 맞추었다. 그 정도로 생각의 공유가 이루어진 것이다. 이런 방식으로 나중에 조직에 합류한 직원들과도 쉽게 생각을 공유할 수 있었다.

그러한 적극적인 소통의 노력은 직원들의 만족감을 높인다. 경력직으로 입사한 한 임원이 외국사업장으로 파견을 나가기 위해 한 달 동안 국내 현장에서 근무하며 적응교육을 받았다. 그가 한 달간의 교육을 마치면서 이런 말을 했다.

"많은 직원이 대표님을 좋아하더군요."

나는 그의 말을 "직원들이 일터에서 만족감을 느끼고 있다."라고 알아들었다. 즉 직원들이 생각을 공유하고 꿈과 비전을 나누며 과감한 위임과 적극적인 소통을 통해 좀 더 주도적으로 일하며 느끼는 만족감을 표현한 것이었으리라. 나는 일과 경영에 대한 생각뿐 아니라 아주 개인적인 부분까지도 직원들과 공유함으로써 깊은 인간적인 이해와 유대감을 추구했다. 부끄럽기는 하지만 그래도 누군가는 내 이야기를 듣고 힘을 얻을지도 모른다고 생각했다. 당시 직원들에게 썼던 칼럼 하나를 인용한다.

2002년 월드컵에서 백미 중의 백미는 이탈리아전이었다. 후반 종료를 눈앞에 둔 시점까지 한 골 차로 뒤지고 있던 상황. 설기현의 동점골이 터지고 연장의 접전 끝에 안정환의 헤딩골로 만들어 낸 환상의 역전승. 지금도 그때의 감동이 생생하다. 역전의 드라마는 항상 우리에게 흥분과 감동을 준다. 어릴 때 읽던 위인전은 그래서 재미가 없었나 보다. 위인들은 늘 어려서부터 뭔가를 잘했고 뭔가는 남과 달랐다. 위인이 될 싹이 보였다는 이야기니…….

하지만 나를 포함한 우리 대부분은 그저 그렇고 그런 평범한 사람들이다. 위인전의 인물들과는 너무도 거리가 먼 사람들이다. 그래서 우리처럼 평범했던 아니 그보다 훨씬 못했던 사람이 어렵게 살다가 어느 날 인생에서 역전승을 거두는 모습은 늘 진한 감동으로 다가온다.

난 정확히 말하면 고등학교 1학년 겨울방학이 끝나는 시기에 신경쇠약이라는 참으로 고통스러운 병에 걸렸다. 내가 유일하게 잘할 수 있는 종목이었던 공부를 할 수 없게 한 정말로 고통스런 병이었다. 사실 난 운동도 잘 못했고 예능 쪽에 재능이 있는 것도 아니고 친구를 잘 사귀는 것도 아니고 문학적 감수성이 뛰어나지도 못했고 잘 생기지도 못했고, 그저 남보다 딱 한 가지 잘하는 게 공부였다. 그런데 이걸 못하게 된 것이다. 신경쇠약에 걸린 후 아무리 애를 써도 그전에 그렇게 잘되던 정신집중이 도저히 되지 않았다. 수만 가지 잡념이 머릿속에 동시에 끊임없이 일어나서 나를 놓아주지 않았다. 그러니 공부를 할 수도 없고 책을 제대로 읽을 수도 없고…….

절망이 얼마나 컸겠는가? 이후로 10년 가까운 세월 동안 이 신경쇠약 때문에 전후좌우가 완전히 막혀 있고 위도 아래도 밀봉된 유리감옥에 사는 것 같은 참으로 답답하고 고통스러운 세월을 보냈다.

그러나 난 이러한 참기 어려운 절망의 세월이 나에게 좋은 무엇인가를 빚어내리라고 굳게 믿었다. 아니 좀 더 정확하게 말하면 그런 믿음으로 그 힘든 세월을 이를 악물고 버텨낸 것이다. 이렇게 믿기는 했지만 실제로 내게 어떤 좋은 결과가 나타날지는 전혀 알 수 없었다. 그러나 지금 그때를 돌이켜보면 그 캄캄한 시간 속에서 내가 전혀 필요하다고 생각하지 않았던 놀라운 것이 주어졌음을 깨닫고 얼마나 감사한지 모른다.

참을 줄 모르는 조급한 성미를 타고났지만 조금은 참을 수 있는 인내심이 형성되고 있었던 것이다. 남에게 무관심한 내향적인 성격을 타고났지만 절망하고 힘들어하는 사람들의 조그만 내면의 소리까지 들을 수 있는 귀가 생겨나기 시작했다. 내가 세상에서 그래도 제일 머리가 좋은 편에 든다고 자만했는데 그 머리는 한순간에 망가질 수도 있는 질그릇같이 불안정한 것임을, 그래서 겸손할 수밖에 없음을 처절하게 깨달았다.

조그만 재능이라도 있다면 자랑할 일이 아니라 그걸 정말 좋은 목적을 위해 남을 돕기 위해 써야 한다는 것을 배우기 시작했다. 그리고 어린 나로서는 인생 최악의 상황인 극한의 시간을 견디고 나니 두렵던 세상의 일들과 미래가 더는 두렵지 않은 마음이 생기기 시작했다.

내 삶에 아무리 모든 것이 망가져도 그때 겪었던 고통과 절망의 세월보다 더한 것이 있겠느냐 하는 오기가 생겼기 때문이다. 그리고 무엇보다 삶이 얼마나 유한하고 얼마나 연약하고 얼마나 짧은 것인지를 뼛속까지 배워가면서 왜 겸손해야 하는지를 깨닫기 시작했다. 그래서 난 그 절망과 고통의 세월이 당시에는 몰랐지만 내 생애 최대의 축복 기간이었다고 생각한다.

비록 화려한 역전 드라마는 아닐지 모르지만 나도 인생에서 한판의 역전승을 경험한 것이다. 그때의 고통이 깊었기에 지금의 내가 있음을 뼈저리게 느끼곤 한다. 그래서 고통은 축복이 변장한 것이라고 여기고 늘 모든 일에 감사하면서 살아가려 한다.

03

두려움에 짓눌리면
바보가 된다

일본은 정확성과 시간 엄수로 유명하다. 업무나 개인의 일상에서 마치 자로 잰 듯 명확한 것을 선호한다. 예를 들어 전동차나 버스의 운행시간이 정확하다. 교통수단을 이용하는 처지에서는 더할 나위 없이 편리하지만 기관사와 운전기사가 짊어져야 할 부담은 엄청나다. 운행시간을 정확하게 지키지 못한다는 것은 실패를 뜻한다. 그래서 기관사나 운전기사는 무리하더라도 규칙과 목표를 지키려고 애쓴다. 그러다가 자칫 사고가 나면 개인의 실패가 회사를 비롯해 다수 승객의 목숨까지도 위태롭게 한다.

지난 2005년에 일본의 한 전동차 기관사는 정해진 운행시간보다 1분 30초가 늦어지는 바람에 급히 속도를 올렸다. 출근시간에 운행하던 전동차는 커브 구간에서 과속으로 달리다가 탈선하여 아파트를 들이받고 말았다. 당시 사고로 100명이 넘는 사망자와 수백 명의 부상자가 발생했다. 과속 운행을 한 기관사도 죽고 말았다.

이 기관사는 운전경력이 11개월에 불과한 새내기였다. 게다가 이전에도 운행시간을 제대로 지키지 못한다고 회사로부터 질책을 여러 번 받았다. 햇병아리 기관사는 과거 질책받았던 기억 때문에 운행 지연이 불러올 결과가 두려웠으리라. 그러한 공포가 과속운행의 위험에 대한 판단력마저 마비시켜버린 것이다. 노조는 사고가 나기 전 회사가 사원들에게 의도적으로 공포감을 조장했다고 폭로했다.

조직이 두려움에 짓눌리면 정상적인 능력을 발휘하지 못한다. 텔레비전의 한 예능 프로그램에서 출연자가 고층빌딩의 옥상 난간을 걷는 게임을 했다. 혹시라도 사고가 날까 봐 몸에 케이블을 비롯한 이중삼중 안전장치를 매달았지만 대부분 출연자는 공포에 질려 걷기는커녕 엉금엉금 기는 것도 무서워했다. 조직도 마찬가지이다.

직원들이 옥상에서 추락하듯 한 번의 실패로 나락으로 떨어질까 두려워하면 일을 그르칠 가능성이 높아진다. 높은 부가가치를 창출하는 변화를 추구하거나 리스크가 있는 새로운 도전은 아예 시도조차 하지 않게 된다. 두려움은 사람으로 하여금 모든 위험을 피하고 자기보호 본능에만 충실하게 만들기 때문이다. 이처럼 모험을 시도하는 것조차 꺼리는 분위기가 팽배한 기업이 시시각각 변하는 경쟁환경에서 살아남을 수 있을까?

실패를 두려워하지 마라

조직 책임자의 가장 큰 역할은 부하들이 실패해도 감싸줌으로써 새로운 시도에 편안함을 느끼게 하는 것이다. 리더는 공유된 목표를 위해 전력투구하는 직원들이 새로운 일에 편안한 마음으로 도전하며 일에 몰입하도록 신경을 써야 한다.

앞장서서 리스크를 감당하기보다 비겁하게 부하들에게 책임을 떠넘기는 리더도 있다. 그들은 당장 위기는 모면할지 몰라도, 함께 일하는 직원들로부터 신뢰를 잃게 된다. 사실 그보다 더 심각한 것은 직원들이 공포심 때문에 새로운 도전이나 혁신하려는 자발적인 노력을 포기하는 것이다. 소위 복지부동의 문화가 자리 잡는 것이다.

꽤 오래전 함께 일했던 동료 직원들과 만나 예전 일들을 회상하며 이야기하던 중이었다. 그들은 요즘 회사생활이 영 재미가 없고 힘들다며 하소연을 했다.

"요즘엔 뭘 하려고 해도 윗분들 설득하고 또 윗선에 보고하는 데 시간을 많이 뺏겨 아주 곤욕스럽습니다. 힘들어 죽겠어요."

일의 본질과 상관없는 것에 에너지를 쏟아야 하니 힘이 든다는 것이었다.

"예전에는 큰 방향이 공유된 상태에서 직원들이 세부적인 일을 스스로 찾아서 하는 재미가 있었거든요. 힘들어도 윗분의 격려를 받으면서 힘을 얻곤 했는데 요즘은 격려는커녕 일일이 보고하고 지시를 받아가며 일을 해야 하니 아주 죽을 맛입니다."

그들은 또 어떤 일을 하겠다고 보고를 하는 것이 부담스럽다고 했다. 혹시라도 실패하면 책임을 추궁하고 무능력자로 낙인찍히는 분위기라는 것이다. 감시, 통제, 실패를 용인하지 않는 분위기에 직원들이 위축되는 상황이 되면서 새로운 도전을 부담스러워하는 듯 보였다.

사람은 누구나 무슨 일을 하든 실수할 수 있고 목표달성에 실패할 수 있다. 니체의 말대로 직원들의 '인간적인, 너무나 인간적인' 면모를 인정해야 한다. 그런데 실패를 탓하고 책임을 추궁하는 데만 치우친 조직에서는 직원들이 자기보호본능에만 충실해진다. 위험한 시도는 전혀 하지 않으려 하고 오로지 의사결정권자만 쳐다본다. 이런 조직은 죽은 조직이다. 변화하는 환경에서 끝없는 위험을 무릅쓴 도전으로 길을 열어가야 하는데 그것이 불가능하니 결국 환경의 도전에 무너질 운명에 처하는 것이다.

공포로부터 자유로워져라

리더는 실패의 두려움으로부터 자유로운 조직을 만들어야 한다. 실패의 공포에 사로잡히지 말아야 실패에서 성공의 씨앗을 발견할 수 있지 않겠는가?

좋은 의도로 노력하다가 얻게 된 실패라면 격려해주고 장려해줘야 한다. 그래야 직원들은 과감하게 도전적인 목표를 설정하고 성큼성큼 미지의 길을 개척해갈 수 있다. 또 습관적으로 하던 일과는 차원이 다른 부가가치를 창출할 수 있다. 먼지 봉투 없는 청소기를 처음 내놓은 영국의 제임스 다이슨은 무려 5,127개의 모형을 만들었다. 마지막 모형이 성공 모델이라고 한다면 5,126개의 모형은 실패작이다. 수천 개의 실패작이 나온 덕분에 성공적인 모형을 만들 수 있었던 것이다. 그리고 '세계 최초'라는 차원이 다른 진공청소기의 부가가치를 창출했다. 다이슨도 실패가 없었으면 성공이 없었듯이 직원들도 실패의 자유가 있어야 성공할 수 있다.

새로운 전략을 실행하는 것은 늘 위험을 수반한다. 직원들은 새로운 도전이 실패로 끝날지 모른다는 두려움 때문에 결정을 회피하려는 유혹을 늘 받는다. 자기보호본능이 작동하는 것이다. 그래서 새로운 시도에 대해 리더가 긍정적인 피드백을 해주는 것이 중요하다. 직원들은 긍정적인 피드백을 통해 안도감을 느끼고 힘을 얻게 된다. 그리고 업무에서 실수해도 질책보다 신뢰를 보여주며 직원 스스로 실수를 만회할 수 있는 여지를 남겨두는 것이 필요하다.

한 외국사업장에서 거래구조를 변경하여 수익성을 개선하는 작업을 추진하던 중에 신규거래처에서 거래대금을 회수하지 못하는 일이 발생했다. 신규거래처 발굴과정에서 거래처의 신용정보가 충분히 확보되지 못해 발생한 일이었다. 훗날 법적 조치를 통해 대금을 회수했지만 당시로서는 회수를 장담할 수 없는 상황이었다. 내가 이 일을 보고받고 살펴보니 실무자는 최선의 노력을 다했으며 충분히 발생할 수 있는 일이었다.

"앞으로는 같은 실수를 반복하지 않겠지요?"

그 이상 말하지 않았다. 다행히도 그는 이 사건에 위축되지 않고 더 적극적으로 거래구조 변경을 추진하였다. 그의 노력이 결실을 보아 이듬해 회사는 큰 규모의 수익 개선 효과를 거둘 수 있었다.

내가 만약 질책하고 징계했더라면, 그는 좌절하고 위축되어 새로운 시도를 중단했을지 모른다. 그 결과 안전한 거래처만 찾아다니느라 그 정도의 수익 개선을 이루지는 못했으리라. 더욱 두려운 것은 수익 개선의 기회가 사라진 것을 아무도 몰랐으리라는 점이다. 그가 느꼈을 부담감을 덜어주었기에 다시 한 번 과감한 도전을 할 수 있었으리라.

04

리더는 영향력을
행사하는 사람이다

나는 고등학교 1학년 때 무척이나 열심히 공부했다. 주중에는 잠자는 시간 빼고 대부분 공부만 했다.

남자 고등학생들에게 점심시간은 최고로 즐거운 휴식시간이다. 도시락을 5분 만에 후딱 해치워버리고 운동장에 나가 공도 차고 뛰어노는 시간이다. 그러나 나는 그럴 수가 없었다. 공부할 시간이 부족하다는 생각에 도시락도 책을 보면서 먹었다. 밥을 먹고 난 뒤에도 자리에서 꼼짝하지 않고 공부만 했다. 위장병까지 얻어서 고생했을 정도로 책만 들여다봤다.

학기 초에는 점심시간에 교실에 앉아서 공부하는 사람이 나 혼자뿐이었다. 그런데 점차 시간이 흐르자 반 친구들이 하나둘 점심을 먹고도 운동장에 나가지 않았다. 몇 달이 지난 뒤에는 대부분의 반 친구들이 점심시간에 책상에 딱 붙어 앉아서 공부하는 게 아닌가. 친구들에게 함께 공부하자고 말한 적도 없었다. 그런데 반 전체의 분위기가 바뀌면서 친구들의 생활방식마저 변해버렸다.

꿈을 이루기 위해 공부만 했을 뿐인데 친구들이 하나둘씩 본인의 의지로 동참하기 시작한 것이다. 누구의 지시나 강요에 의하지 않은 자발적인 행동이었다. 오랜 조직생활을 하며 리더란 무엇인가에 대해서 고민한 결론은 간단했다. 고등학교 1학년 시절에 경험한 것처럼 '리더란 조직에 변화를 일으키는 영향력을 행사하는 사람'이라는 것이다. 그 영향력은 권위나 직위와 같은 껍데기의 힘이 아니다. 부하가 많다고 해서 저절로 리더가 되고 리더십을 갖추는 것도 아니다. 직위가 낮아도 조직 전체를 바꾸는 영향력을 행사하는 리더들이 있는 것이다.

완장의 힘

중·고등학교 시절 학교 입구에는 선도부 완장을 찬 상급생들이 죽 서 있었다. 그들 앞을 지나 학교 정문을 통과할 때면 주눅이 들고는 했다. 완장이 상징하는 권위 때문이다. 그리고 완장을 찬 학생들은 완장을 차고 있는 동안에는 행동이 의젓하게 바뀐다.

직원에게 완장을 채워주면 반드시 완장의 효과가 나타난다. 완장을 찬 직원들은 직급이나 보직에 상관없이 자신이 완장을 찬 일에서는 리더로서 긍정적인 영향력을 강력하게 발산하게 된다. 가능한 많은 수의 직원들이 완장을 차게 할 수 있다면 극소수의 간부들에 의해 이끌리는 조직보다 얼마나 강력한 힘을 낼 수 있겠는가?

조직 전체에 영향을 미치는 중요한 의사결정을 해야 할 때 직원들에게 완장을 채워주면 어려운 문제를 주도적으로 풀어가는 모습을 보게 된다.

본부장으로 일하던 때 가장 까다로운 의사결정 사안 중 하나가 정기 성과평가였다. 반기마다 팀장이 팀원을 평가한 결과를 조정하여 본부직원들의 평가등급을 확정해야 했는데 이 작업이 여간 어려운 게 아니었다. 팀마다 일의 성격이 달라서 마치 높이뛰기 선수와 마라톤 선수를 동시에 평가해야 하는 것과 흡사했다. 나는 팀장들을 불러모아 말했다.

"팀장들끼리 서로 이야기를 해서 조정안을 만들어주세요."

팀장들은 장시간 격론을 벌여가며 조정안을 만들어왔다. 물론 그 결과는 내가 생각하는 것과 크게 차이가 없었다. 팀장들의 조정안대로 확정했다. 인사평가의 실질적인 권한을 행사하게 되는 바람에 그들은 더 꼼꼼하고 진지하게 평가할 수밖에 없었다. 이제는 팀장들이 인사고과에 대하여 불만이 있는 팀원들에게 자주 써먹던 핑계를 댈 수도 없게 됐다.

"나는 평가등급을 잘 주었는데 위에서 고쳐버렸어요."

그 평가결과는 자신의 권한으로 결정된 것이나 다름없으니 팀원들에게 책임감 있는 피드백을 해줘야 하는 상황이 된 것이다. 당연히 어느 조직이나 겪는 성과평가 후유증 없이 평가 시즌을 무난히 보내게 되었다.

조직에서 부하직원이 없는 담당자에게도 얼마든지 완장을 채워

줄 수 있다. 리더란 본래 직급이나 직책과는 아무 상관이 없기 때문이다. 그들도 자신이 맡은 일의 범위에서 다른 사람보다 앞선 생각으로 일을 주도하면서 영향력을 발휘하면 결국 그 일에 대해서는 리더가 되어 영향력을 발휘하게 되는 것이다.

내가 학교에 다니던 시절에는 선생님께서 일주일에 한 사람씩 노란색 '주번' 완장을 채워주셨다. 일주일 동안 학급의 잡다한 일을 처리하는 책임을 맡긴 것이다. 그 노란색 주번 완장이 상징하는 책임과 권한을 기억하지 않는가? 추운 겨울에 학급 친구들이 덜 춥도록 조개탄을 조금 더 얻어야 한다는 사명감으로 학교 창고에서 조개탄 한 양동이를 더 확보하며 즐거워했던 기억이 지금도 생생하다. 마찬가지로 모든 직원에게 완장을 채워주면 의식이 바뀌고 행동이 바뀐다.

분명하게 방향이 공유된 업무마다 부하들에게 완장을 채워줘 보라. 조직에서 완장을 찬 구성원들이 늘어나면 직원들의 만족감이 증가하고 일하는 방식이 변한다. 조직 구성원의 20퍼센트 이상이 완장을 차고 있으면 조직은 리더의 기대치를 훨씬 뛰어넘는 성과를 내기 위한 임계점을 지나게 될 것이다.

재량권을 보장해줘라

현대 기업조직은 상당히 복잡하다. 의사소통과정을 단순하게 만들겠다고 부서를 줄이고 직급이나 직위도 간결하게 정리해도 쉽게 파악할 수 없다. 개인의 업무는 갈수록 전문화되고 잘게 쪼개져서 현장의 업무를 리더가 전부 파악하는 것은 거의 불가능하다. 산술적으로 생각해보면 그 이유는 너무 명백하다. 한 명의 보스가 수십 수백 개에 달하는 직원들 각각의 일 전부를 꿰뚫어 볼 수 있겠는가?

이렇게 세밀하게 쪼개진 일을 꿰뚫고 있는 사람은 담당 직원이다. 이 직원들을 최선의 열망을 품고 아이디어를 내어 실행하는 주체로 만들어야 성과가 나는 것이다. 그들이 신나서 일할 수 있도록 제대로 완장을 채워주는 것이 관건이다. 직원들에게 완장을 채워 리더로 만들려면 지켜야 할 규칙이 있다. 무엇보다 함부로 간섭하거나 동의를 얻지 않은 일방적인 지시는 피해야 한다. 직원들이 자신의 완장의 권위가 침해되지 않음을 반복적으로 확인해야 진정한 리더가 되기 시작한다. 조직 책임자의 원칙 없는 간섭은 모든 것을 무효로 만든다는 걸 기억해야 한다.

독일군의 전력을 극대화시켰던 '임무형 지휘체계'도 하급 부대 지휘관이 상급 지휘관의 원하는 바를 달성하기 위해서 선택하는 수단과 방법에 대하여 최대한의 재량권을 보장하고 간섭하지 않을 때 제대로 작동된다. 완장을 채워주고 최대한의 재량권을 보장해주는 것이 비결인 것이다.

물론 완장이 상징하는 권한은 공유된 전략목표를 달성하는 데 보탬이 되는 한도 내에서만 보장된다. 또한 조직의 책임자는 부하들의 움직임을 정확하게 파악하고 있어야 한다. 그래야 판단착오나 경험 부족에서 발생하는 오류를 수정해주고 필요한 지원을 적절하게 제공할 수 있다.

신뢰하고 격려하고 맡겨라

원가에 큰 영향을 미치는 보직이 있었다. 많은 거래금액을 다루는 자리여서 신망을 받는 유능한 사람이 필요했다. 고민하던 중에 한 사람을 눈여겨보게 되었다. 그는 회사에서 좋지 않은 평을 자주 들었다. 그런데 자세히 살펴보니 그는 매사에 진지하고 나아가 깊은 실무지식을 갖추고 있었다.

그가 좋지 않은 평을 듣게 된 것은 오해일지도 모른다는 생각이 들었다. 그래서 이제부터 일을 잘하도록 도와주면 본인도 좋고 회사도 좋겠다는 생각에 그를 보임했다. 그의 일에 대해서 신뢰한다는 메시지를 몇 차례 보내주며 격려해준 것은 물론이다. 그러자 그는 이제껏 알지 못했던 수많은 신규거래처를 발굴하여 원가를 낮추는 탁월한 성과를 올렸다. 그전에는 누구도 생각하지 못하고 눈길조차 보내지 않았던 새로운 종류의 거래처를 발굴하였고 열심히 쫓아다니며 거래를 성사시켰던 것이다. 나는 기대하지 못한 성과를 올리는 그에게 "정말 잘했어요!"라며 가끔 격려했다. 하지만 의심하는 사람도 있었다.

"저 거래처들을 지금껏 숨겨뒀다가 책임을 맡게 되니 내놓은 것 아닙니까?"

나는 이런 이야기에 별로 귀를 기울이지 않았다. 설령 그렇다고 해도 무슨 상관이 있으랴? 지금 성과로 나타나고 있으니 말이다. 그가 숨겼다가 꺼내놓은 것이라 해도 회사에 추가적인 이익을 가져다주는 것이 아닌가? 어쩌면 오랫동안 아이디어를 가지고 있었지만 실행할 기회가 없었는지도 모른다. 그에게 완장을 채워주고 지시와 질책이 아닌 전적인 신뢰를 보내자 해박한 업무지식으로 변화를 이끄는 리더가 되었던 것이다. 그도 행복하고 회사도 행복해진 유쾌한 경험이었다.

기술적인 지식이 업계 최고라고 인정받는 엔지니어가 있었다. 그런데 상사와의 의견충돌로 어려움을 겪었다. 으레 그렇듯이 탁월한 기술자들은 고집이 센데 그도 예외가 아니었다. 나는 유능한 직원이 제대로 일하지 못하는 상황을 안타까워하다가 조직개편을 하면서 새로운 보직을 맡기고 격려해줬다.

자신이 마음껏 능력을 발휘할 수 있는 환경이 되자 원가절감 효과가 큰 부재료를 개발하여 수익성 개선에 크게 이바지했다. 또 공장의 생산설비를 직접 돌아다니며 아쉽고 힘든 문제를 풀기 위해 노력한다고 공장장들의 칭찬이 자자했다. 회사에서 그만큼 자기 전문분야에 경험 있는 사람이 없다고 보고 책임을 맡기고 믿어준 것이다. 그 신뢰가 그에게는 강력한 동기부여가 되었으리라. 상사와 갈등이 생겼다는 이유로 그냥 어려운 상황에 내버려두었다면 현장을 잘 아는 탁월한 전문가를 잃어버리거나 사장시켜버릴 뻔했다.

인정받을 때 헌신한다

한국인 직원이 맡고 있던 외국사업장 공장의 운영책임을 현장을 가장 잘 아는 현지인에게 맡겼다. 그동안 한국인 공장장들은 현지인 직원들을 관리하는 데 적잖이 애를 먹었다. 한국과는 다른 문화 때문에 힘들어했다. 너무 느긋한 모습이라든지 규칙을 지키지 않는 등의 나쁜 습관도 많았다.

더 곤란한 것은 종교문제였다. 매일 여러 번 기도하기 위하여 업무를 중지했다. 금요일 오후에는 모스크에서의 예배에 참석하느라 공장이 텅텅 비고는 했다. 그러나 한국인 공장장들은 종교와 연관된 문제를 건드릴 수 없었다. 이 문제를 건드렸다간 자칫 현지인들의 정서가 어떻게 나쁜 방향으로 표출될지 알 수 없었기 때문이다.

새로 임명된 현지인 공장장은 독실한 이슬람교도였다. 그래서 오히려 직원들이 예배에 갔다가 늦게 오고 게으름 피우는 것을 용납하지 않았다. 게으름을 피우는 것은 이슬람 교리에 어긋난다며 엄하게 직원들을 다루었다. 공장에서 일하는 현지인 직원들의 업무집중도가 높아진 것은 물론이다. 그는 공장에 불이 나는 바람에 불가피하게 인원조정이 필요했을 때도 눈여겨봤던 직원들을 직접 정리했다. 평소에 나쁜 습관을 지닌 직원들이었다. 한국인 공장장은 쉽게 손을 댈 수 없었던 것이다. 그는 자신이 공장장으로 존중받는다는 생각에 최선의 열정을 쏟아냈다.

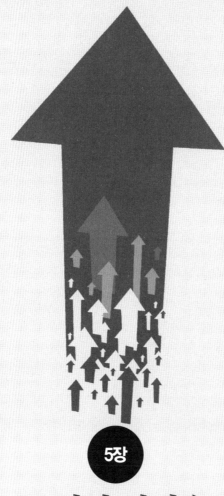

5장

조직의 체력을
구축하라

긍정적인 생각과 전략 프레임으로 조직의 역량을 키우며 동시
조직으로 빚어낸다. 보고서 의존적인 조직문화와 지나친 개인
별 경쟁체계의 부작용을 중화시키는 것도 병행해야 한다.

01

긍정으로
조직의 힘을 키워라

"할 수 있다고 생각하든 할 수 없다고 생각하든 당신의 생각은 항상 옳다."

헨리 포드가 한 말이다. 할 수 있다고 생각하면 할 수 있게 되고 할 수 없다고 생각하면 할 수 없게 된다. 할리우드의 톱스타 줄리아 로버츠는 한 TV 토크쇼에서 질문을 받았다.

"당신처럼 자신감을 가지려면 어떻게 해야 하나요?"

늘 자신감 넘치는 줄리아 로버츠가 매우 부러웠나 보다. 그런데 뜻밖에도 그녀는 이렇게 대답했다.

"저도 항상 마음속으로는 불안하죠. 연기를 기대만큼 하지 못하면 어쩌나, 이렇게 하다가 중간에 잘리지는 않을까, 이런 염려를 늘 해요. 하지만 항상 자신감이 넘치는 것처럼 행동하려고 노력합니다."

줄리아 로버츠는 새로운 배역을 맡을 때마다 "나는 할 수 있다." 고 스스로에게 속삭이며 이를 증명하기 위해 최선을 다한다고 했다. 그러면서 이런 중요한 말을 했다.

"이런 일들이 반복되면 '있는 것처럼' 행동하던 자신감이 어느 순간부터 진정한 자신감으로 바뀌더군요."

리더는 직원들에게 '성공의 운명을 타고난 사람인 것처럼' 자신감에 가득 찬 모습을 연기하는 법을 가르쳐야 한다. 늘 적극적이고 긍정적인 모습을 보이려 노력하고 노력하면 곧 그게 진짜 모습이 될 거라고 격려하라. 생각이 미래를 만든다는 사실을 늘 상기시키는 것이 필요하다. 미래는 예측의 대상이 아니라 창조의 대상임을 가르쳐라. 긍정적인 말, 긍정적인 태도가 조직에 깊게 배어 있어야 한다. 긍정이라는 강력한 영양제를 수시로 투여하는 것은 리더의 의무이다. 이런 긍정적인 생각은 에너지가 되어 조직의 힘을 극대화하고 성과를 창출하기 때문이다.

희망의 힘

제2차 세계대전 때의 유대인들은 인간의 존엄성을 인정받지 못하고 아예 지구 상에서 사라져야 하는 청소 대상이었다. 아우슈비츠를 비롯한 수많은 수용소와 격리지역인 게토에 갇혀 죽음의 공포에 시달려야 했다. 정신과 의사인 빅터 프랭클도 수용소에 끌려가 처참한 체험을 하게 된다. 차라리 죽는 게 나은 참혹한 수용소에서 빅터 프랭클은 살아남았다.

그는 한 젊은 음악가의 죽음을 목격했다. 그 음악가는 아내와 딸을 언젠가는 만나리라는 희망으로 수용소 생활을 즐겁게 견뎌냈다. 그런데 아내와 딸이 죽었다는 소식을 들은 뒤부터 시름시름 앓더니 단 5일 만에 세상을 뜨고 말았다. 절망적이고 처참한 상황에서 버티게 해준 것은 가족을 다시 만난다는 희망이었음을 극적으로 보여준 사건이다.

다른 사람들도 조만간 연합군이 나치를 물리치고 구해주리라는 희망을 품고 견뎠지만 매번 크리스마스가 지나고 해가 바뀌어도 상황이 변하지 않자 기력을 잃고 삶을 포기하고는 했다. 매년 새해 초에 사망자 수가 급증한 것이다. 빅터 프랭클은 희망을 포기하자 갑자기 죽는 사람들을 보면서 '로고테라피' 이론을 만들었다.

그는 희망이 있으면 인간은 아무리 힘든 내면적인 문제라도 극복할 수 있다는 것을 직접 체험했다. 그가 수용소 체험을 통해 만든 새로운 정신과 치료법의 핵심은 환자에게 희망을 찾아주는 것이다. 희망을 찾게 되면 힘든 상처와 고통의 기억도 극복하기 때문이다.

"왜 살아야 하는지를 아는 사람은 어떤 상황도 견뎌낸다."

빅터 프랭클의 저서 『죽음의 수용소에서』의 도입부에 나오는 말이다. 기업조직도 긍정적인 희망을 품으면 어떤 어려움도 견디고 성과를 내게 된다.

긍정 바이러스를 퍼뜨려라

리더는 조직에 긍정의 DNA를 심어야 한다. 세계적인 긍정심리학자 마틴 셀리그만 박사는 누구나 자신에게 들려주는 이야기가 있다고 한다. 어떤 사람들은 마음속으로 "나는 안 돼……. 역시 안 되는구나."라고 이야기한다. 또 다른 이들은 "난 무슨 어려움이라도 극복한다. 난 강하다. 난 이긴다. 난 잘된다."고 이야기한다. 자기와의 대화이다.

자신을 돌아보고 가만히 자신에게 귀기울여보면 자기가 자기에게 들려주는 이야기, 즉 셀프 토크의 내용을 알 수 있다고 한다. 그는 이 셀프 토크가 사람을 긍정적인 사람과 부정적인 사람으로 나눈다고 한다. 셀리그만은 의식적으로 부정적인 셀프 토크를 긍정적인 것으로 바꾸어야 한다고 주장한다. 가장 좋은 방법을 간단하게 설명하면 자신에게 긍정적인 이야기를 항상 들려주어야 한다는 것이다.

"난 할 수 있다. 나는 이겨낸다. 나는 유능하다."

셀리그만 박사는 이런 방법으로 우울증 환자를 치료하는 임상치료법을 개발했고 또 긍정적인 자세를 사람들에게 가르쳐서 인생과 일에서 성공하는 사람들로 만들었다. 리더도 자신과 조직에 긍정적인 셀프 토크를 끝없이 들려주어 긍정의 DNA를 가진 조직을 만들어내야 한다. 긍정적 태도를 가질 수 있게 해주는 책도 함께 읽고 희망을 주제로 하는 워크숍을 여는 것도 좋은 방법이다. 리더 자신이 긍정의 불치병에 걸려야 한다. 표정도 밝게 가지고 말도 긍정적으로 하는 연습을 해야 한다. 어두운 표정을 가진 리더가 이끄는 조직은 힘을 내기 어렵다.

말이나 표정은 전염력이 강하다. 인간에게는 거울뉴런**Mirror Neuron**이 있다. 남의 말, 표정, 행동을 본능적으로 감지하고 따라하는 신경세포이다. 슬픈 드라마를 보면서 주인공에게 감정이입하여 눈물을 흘리거나 영화의 주인공이 쫓길 때 손에 땀을 쥔다. 바로 이 거울뉴런 때문이다. 따라서 리더가 긍정적이고 밝은 표정을 가지고 긍정적인 말을 하면 조직 전체가 긍정에 감염되기 시작한다. 조직의 셀프 토크가 긍정으로 바뀌는 것은 물론이다.

내가 상황이 아무리 어려워도 늘 밝은 표정으로 이야기하니까 보스에게 이런 말도 듣고는 했다.

"자네는 말하는 내용이 심각할 때에도 표정이 밝아서 심각함을 도무지 느낄 수가 없어. 혼란스러울 때가 많아."

나의 긍정 병이 어느 정도로 불치 수준인지 알 수 있을 것이다. 셀리그만 박사의 『긍정심리학』을 보면 보험회사에서 승승장구하는 사람들의 공통점은 긍정적인 마인드를 가지고 있다는 것이다. 그는 한 보험회사의 영업직원들을 대상으로 심리에 따른 성과 차이를 조사했다. 조사결과를 보니 자신을 둘러싼 상황을 긍정으로 해석한 직원들이 부정적으로 해석한 직원들보다 실적이 37퍼센트나 높았다고 한다.

그 회사는 이런 결과를 바탕으로 스펙 위주의 채용보다 긍정적인 마인드를 가진 사람 위주로 채용전략을 바꿨다. 스펙이 아무리 좋아도 비관적인 사람은 채용에서 배제한 것이다. 채용전략을 바꾸고 나자 사원들의 이직률이 감소했을 뿐만 아니라 시장점유율도

50퍼센트나 늘어난 것으로 나타났다. 조직으로 하여금 긍정적인 마인드를 가지게 하는 것은 어떤 동기부여 방식보다 더 효과적으로 성과 창출을 가능케 한다.

1932년 가톨릭 수녀로 헌신하는 180명의 젊은 여성들에게 그 순간의 심정을 글로 쓰도록 했다. 그들이 쓴 글은 70년 후에 심리학자들에게 넘겨졌고, 각 글에 얼마나 긍정적인 정서가 표현되어 있는지 측정되었다. 어떤 수녀들은 '매우 행복한' '정말 기쁜'과 같은 단어를 많이 사용했다. 하지만 다른 수녀들의 글에는 긍정적인 감정을 표현하는 단어가 적었다.

그런데 놀라운 사실은 긍정적인 단어를 많이 사용한 상위 25퍼센트 수녀들 가운데 90퍼센트가 85세가 넘도록 장수하였다는 점이다. 반면 긍정적인 단어를 적게 사용한 하위 25퍼센트 수녀는 오직 34퍼센트만이 생존해 있었다. 매일 우리가 사용하는 말 속에 우리의 수명에 대한 정보가 담겨 있다는 뜻이다.

말은 불이다. 작은 담뱃불 하나가 무시무시한 산불이 되어 수십 개의 산을 태우기도 한다. 마찬가지로 무의식중에 튀어나온 말 한마디가 삶의 방향을 결정짓기도 한다. 수십만 톤짜리 선박에 달린 키를 보면 그 크기가 작음에 놀라게 된다. 이렇게 작은 물건이 그 큰 배의 방향을 움직인다는 사실이 참으로 놀랍기만 하다. 마치 우리의 말 한마디에 우리의 마음이 바뀌고 타인의 인생이 바뀌는 것과 같다.

심리학자들의 연구에 따르면 사람은 어떤 단어를 읽기만 해도 감정이 영향을 받는다고 한다. 그렇다면 리더의 입에서 나오는 말이 긍정적일 때 그걸 듣는 직원들과 리더 자신에게 얼마나 좋은 영향을 줄 것인가.

긍정적인 생각이 긍정적인 결과를 가져온다

2008년은 금융위기로 몹시 힘들었다. 나는 이 시기에 출근 전에 거울을 보고 웃는 연습을 하고는 했다. 보스가 주눅이 들어 있거나 근심에 찌든 모습을 하고 있으면 안 된다. 직원들은 나를 어려워할 뿐만 아니라 그들에게 닥친 힘든 과제를 마주할 용기가 생기지 않는다. 전쟁터에서 지휘관이 먼저 사기가 꺾여 있으면 부하들이 싸울 용기를 낼 리가 있겠는가. 결국 싸움을 시작하기도 전에 지리멸렬이 되어 자멸할 것이다.

조직이 긍정적인 생각으로 무장되어 희망을 잃지 않으면 때때로 찾아오는 불청객인 어려움을 극복할 때 위력을 발휘한다. 세계 금융위기를 맞았을 때 내가 경영하던 외국사업장의 분위기는 흉흉했다. 금융위기로 인해 매출이 뚝 떨어지자 직원들은 동요했다. 거기에다 회사의 자금사정이 어려워지는 바람에 공장을 매각한다는 헛소문이 돌았다. 한 번도 겪어보지 못한 위기가 오자 불안했던 나머지 루머까지 만들어가며 불안감을 증폭시켰던 것이다. 그러니 직원들의 손에 일이 잡히겠는가? 나는 전 직원을 모아서 설명했다.

"우리 그룹에서는 주력 사업군에 속해 있고 외국 진출 전진기지인 이곳을 절대 포기하지 않습니다. 사업이 지금은 어렵지만 조만간 좋아집니다. 어차피 인류가 존재하는 한, 사람들이 집을 짓고

살기 때문에 집에 들어가는 실내장식 자재나 가구용 자재를 생산하는 사업은 사라질 수가 없습니다."

시장경기는 좋고 나쁜 곡선을 늘 타는 법이다. 때로는 롤러코스터처럼 정신없이 오르락내리락하며 혼을 빼놓는다. 이럴 때는 시장상황에 휘둘리기보다 남들보다 경쟁력이 앞서면 절대 죽지 않는다는 생각을 해야 한다.

"여러 사람이 수영장 바닥에 발이 묶여 있다고 합시다. 수영장에 물이 차오르면 키가 작은 사람부터 익사하기 시작하죠. 하지만 물은 곧 빠지고 키 큰 사람은 살아남겠지요. 이처럼 시간이 조금 흐르면 경기는 회복되고 우리는 살아남아서 좋은 시절을 맞게 됩니다. 우리 각자가 경쟁사 직원들보다 조금만 더 잘하면 회사는 경쟁사보다 키가 커지고 살아남아서 좋은 시절을 보게 될 것입니다."

나는 수차례 이런 이야기를 해주며 긍정적인 생각과 희망을 불어넣고는 했다. 합리적인 설득과 확신에 찬 긍정적인 모습에 루머는 곧 사라졌다. 몇 달이 못 되어 몇몇 경쟁사는 시장 악화로 문을 닫고 말았다. 위기에 이은 기회가 왔다. 공급량이 줄어든 바람에 우리에게 주문이 몰린 것이다. 판매량이 급증하면서 큰 이익을 내기 시작했다. 힘든 시기에 조직 전체에 긍정적인 생각을 채우면서 견디다가 직원들과 함께 위기 뒤의 기회를 기다렸던 덕분이다.

이처럼 긍정의 바이러스를 전파하는 것 하나만 잘해도 조직은 체질이 바뀌고 탁월한 성과를 창출하게 된다. 선수 보강이 없어도 마인드를 바꿔 승리하는 스포츠팀처럼 말이다. 비용과 노력을 들이지 않는 가장 효과적인 체질개선 방법인 셈이다.

02

이기는 경영전략

축구경기가 시작됐는데 선수가 감독의 얼굴만 쳐다보며 지시를 기다리는 모습을 상상해보라. 그런 팀이 경기에서 이길 리가 없다. 그런데 기업에서는 정도의 차이가 있을 뿐 그런 상황이 수시로 일어난다. 그리 크지 않은 규모의 조직이고 CEO나 조직 책임자의 영향력이 강할수록 위만 쳐다보는 현상은 더욱 심하다.

자신의 영향력을 조직 곳곳에 깊숙이 미치도록 하는 책임자들은 직원들이 복지부동으로 일관한다고 불만을 토로하곤 한다. 직원들이 무능하다며 자신이 직접 일일이 나설 수밖에 없는 상황을 한탄한다. 하지만 직원들로서는 매우 합리적인 선택을 했을 뿐이다. 여러 번의 경험을 통해 자신에게 온 공이라도 자기 판단으로 몰고 가면 안 된다는 걸 배웠는데 누가 선뜻 나서려고 하겠는가?

실패의 대가가 해고당해 회사를 떠나는 정도가 되면 합리적인 사람은 그 누구도 위험을 감수하고 스스로 판단하는 어리석은 짓을 하지 않는다. 끊임없이 변화하는 불투명한 상황에서 자신이 항상 정확하게 판단하고 최고의 결과를 얻으리라 확신할 수 없으니 말이다.

　감독은 경기가 시작되면 선수들에게 경기를 맡겨야 한다. 선수들이 편안한 마음으로 경기에 집중할 수 있도록 만들어야 한다. 승리를 위한 전략은 경기 전이나 공수 교대시간에 전달하는 것이다. 긴박한 승부의 순간에 공이 자신에게 올 때 패스할지 슈팅을 할지 결정하는 것은 선수들의 몫이다. 비록 한순간의 판단 착오로 골을 넣지 못해도 곧바로 질책해서는 안 된다. 손뼉을 치며 격려해주고 좀 더 역량을 보완할 방법을 찾는 게 감독의 역할이다.

　어떤 직원은 나에게 도대체 어떻게 그런 상황에서 야단을 치지 않을 수 있는지 감탄스럽다고 했다. 자기 같으면 소리 지르고 크게 질책했을 상황에서도 내가 너무 조용하더란다.

　"그렇게 야단을 쳐서 상황이 좋아진다면 내가 호통을 쳤겠지요. 하지만 호통을 친다고 좋아질까요?"

　그렇지 않다는 것을 그 자신도 너무 잘 알고 있었다. 직원들이 무능하다고 불평하며 질책하는 리더 밑에서 성과를 내기란 거의 불가능하다는 것을 수도 없이 경험하였던 것이다. 언제 야단맞을지 몰라 전전긍긍하는 직원들이 어떻게 일에 집중하여 성과를 내랴?

생각 정리 툴 프레임

리더가 이렇게 호통을 치지 않으면 무얼 해야 할까? 조직에 프레임을 제공해야 한다. 상황을 바라보는 안목과 역량을 길러주어야 한다는 뜻이다.

스포츠 감독은 선수들의 기술적인 기량을 길러주는 것과 더불어 경기를 바라보는 안목을 넓혀줘야 한다. 실제로 신인이 경기에 나서면 종목을 불문하고 긴장 때문에 상황이 눈에 들어오지 않는다고 한다. 반면에 주위에서 인정받는 베테랑 선수는 경기의 흐름을 읽는 안목이 탁월하다. 감독은 선수에게 경기를 읽을 줄 아는 안목, 즉 프레임을 제공하여 스스로 경기를 풀어갈 능력을 길러줘야 한다.

프레임을 제공한다는 것은 직원들에게 생각을 정리하는 툴을 제시하는 것이다. 스스로 생각하여 답을 찾도록 도와주는 작업이다. 이는 바둑의 정석과도 같다. 물론 실전에서 정석대로 진행되는 바둑은 없다. 하지만 정석이라는 프레임을 많이 갖춘 바둑기사는 실전의 싸움을 바라보며 실패 확률을 줄일 수 있다. 그리고 빨리 다음에 둘 수를 생각해낸다. 리더는 이런 프레임을 단계적으로 직원들에게 제공해야 한다. 직원들이 프레임을 활용하여 자신의 정보와 지식을 쉽게 끌어내어 현장에 접목할 수 있도록 도와주는 것이다.

프레임이 없는 직원들은 자신이 맡은 업무의 범위 안에서만 생각하고 시선을 고정한다. 영업이나 생산현장에서 자신에게 닥친 일에만 몰두한다. 직원들이 시야를 좀 더 넓혀 리더의 수준에서 일을 바라보는 관점을 가져야 리더가 원하는 전략적 수준에서 움직이게 된다.

"19세기부터 독일의 모든 사관후보생은 전투병과 대대급 지휘관으로서의 전술교육을 받게 된다. 모든 사관후보생은 보병대대와 전차대대를 전투 시 지휘할 수 있도록 훈련받게 되고 (…중략…) 사단급 전술도 개관하게 되어 있다."

디르크 외팅이 쓴 『임무형 전술의 어제와 오늘』에 나오는 말이다. 이런 전술교육을 실시하는 것은 임무형 지휘체계가 제대로 작동되기 위해 하급 부대 지휘관들에게 필요한 안목을 길러주기 위함이다. 이런 능력이 있어야 하급 부대 지휘관들이 상급 부대 지휘관의 전략목표를 꿰뚫어보고 그 안에서 자율적으로 작전을 수행할 수 있기 때문이다. 리더는 이처럼 직원들에게 늘 조직 책임자의 안목으로 일을 보는 데 필요한 프레임을 제공하기 위해 애써야 한다.

나는 조직의 경영책임을 졌을 때 '고객만족경영'에 대해서 팀장들과 대화를 하거나 강의를 많이 했다. 영업이나 마케팅뿐 아니라 생산본부나 관리본부 팀장들 모두를 모아서 교육시켰다. 고객이라고는 평생에 한 번 만나기도 어려운 사람들이 고객만족경영에 관해서 이야기를 들으면서 처음에는 황당하게 느꼈을지도 모르겠다. 하지만 일의 흐름을 바라보는 안목을 높이기 위해서는 꼭 필요한 과정이었다.

'고객만족'이라는 프레임을 가지고 팀장들과 지금까지의 생산과 영업의 업무를 살펴보면 많은 것이 보인다. 생산본부는 오로지 생산량과 제조원가만 생각하고 영업은 판매량에만 집중하는 기존 방식의 문제점을 깨닫게 되기도 한다. 각자가 자신의 업무 목표에 집중하면서 고객을 외면하는 상황이 자주 발생하는 것이다.

전 직원이 영업사원이라는 프레임도 아주 강력하다. 고객만족이라는 개념은 추상적이고 이해하기 어렵다. 그러나 고객을 만나 어떻게 하든 회사의 제품을 좋은 가격에 팔아보려는 영업사원이라는 표현은 설명이 필요 없는 강력한 이미지를 그려준다. 공장장이나 현장의 기술사원이나 관리팀 직원들도 결국 영업사원이 되어 제품을 팔아야 한다고 생각하며 일하는 회사가 어찌 성공하지 않으랴.

"어차피 시장에 팔리는 물건을 만들어야 하지 않겠어요? 우리 모두는 영업사원입니다."

프레임을 바꾸어주면 서서히 효과가 나타난다. 하지만 프레임의 적용으로 생기는 변화는 지속적이다.

큰 그림을 그려보면 답이 나온다

직원들에게 경영전략 교과서에 나오는 아주 단순한 전략분석 모델(프레임)을 사용해서 안목을 바꾸어주면 사업전략도 쉽게 만들어진다(특이하고 새로운 형태의 사업이어서 이러한 모델을 적용하기 어려운 것은 극소수의 벤처기업 정도일 것이다). 예를 들면 마이클 포터의 경쟁우위론 모델이 제시하는 몇 가지의 요소만 차분하게 살펴봐도 쉽사리 사업의 강점, 약점, 그리고 나아갈 바에 대한 생각을 정리할 수 있다. 전략이란 결국 힘을 어디에 집중할 것인가 하는 선택과 집중의 문제이다. 회사의 사업에 이렇게 간단한 프레임만 적용해도 앞이 보이지 않던 사업의 그림이 뜻밖에 뚜렷이 보이고는 한다. 김위찬 교수는 『블루오션 전략』에서 '큰 그림'을 그려보면 '블루오션'을 찾을 수 있다고 했다. 그것처럼 그저 대여섯 가지 경쟁 요소 그림 한 장 펼쳐놓고 직원들과 한두 번 점검해보면 도저히 보이지 않던 길이 보이기도 하는 것이다.

실제로 경영전략에 관해서 서술한 수많은 책은 결국 이러한 전략적 프레임을 조금 더 정교하게 이야기한 것일 뿐 그 어떤 책을 읽어도 현재 당면한 문제에 대한 정답은 발견되지 않는다. 화려한 온갖 수사를 붙여도 대부분의 전략은 몇 줄로 요약이 가능한 프레임 몇 개를 제공할 뿐이다. 그래서 현재 당면한 문제에 대한 답을 찾으려고 경영전략 관련 책을 읽으면 허탈해지기도 한다. 당연한 일이다. 그 무수한 현장의 변수를 참작한 정답을 누가 제시할 수 있단 말인가? 하지만 단순한 몇 개의 프레임을 직원들과 공유하면서 현장을 들여다보면 보이지 않던 답들이 보이는 것이다.

실제로 나는 여러 차례 모든 사람이 도저히 답이 보이지 않는다고 하던 어려운 사업의 책임을 졌다. 당연히 처음에는 무엇을 어찌해야 할지 해결책이 전혀 보이지 않았다. 그러나 단순한 몇 개의 프레임만을 적용하여 직원들과 함께 머리를 맞대고 고민하면 뜻밖에 쉽게 답이 보이고는 했다. 내가 맡았던 몇 개의 어려운 사업이 극적으로 정상화된 것도 직원들과 함께 이런 단순한 프레임을 적용하여 밑그림을 그린 결과였다.

오래전 오스트레일리아에서 일할 때이다. 중요한 혁신 프로젝트를 진행하면서 컨설턴트들과 공동으로 작업한 적이 있는데 오스트레일리아인 동료가 한 말이 지금도 기억난다.

"컨설턴트라는 친구들은 우리가 아는 것을 다 가르쳐주면 그걸 정리하고 잘 포장해서 다시 우리에게 주는 사람들이야. 그런데 돈은 많이 받아가지…… 하하!"

회사 직원들이 다 아는 내용인데 굳이 비싼 돈으로 외부의 컨설턴트들을 고용해서 정리시킨다는 것이다. 이건 말도 안 되는 낭비 아닌가?

물론 이 이야기는 과장된 측면이 있다. 컨설턴트는 자신만의 고유한 인사이트로 정보를 가공하여 가치가 높은 지식으로 만드는 것이 주된 임무일 것이다. 그러나 오스트레일리아에서 일하고 오랜 시간이 흐른 후 많은 경험을 통해서 난 그 동료의 말도 안 되는 말이 진실에 가깝다는 생각을 참 많이도 했다. 어느 회사건 이미 직원들은 알고 있는 답이라도 아주 비싼 돈으로 외부 컨설턴트를 고용하여 답을 끌어내고 정리해서 그 회사(특히 경영진)에 가르쳐 줘야 할 만큼 내부에서 의사소통이 안 되는 경우가 많기 때문이다.

그런데 직원들이 가진 지식과 경험이 자유롭게 흐르는 상태에서는 단순한 전략 프레임만 적용되어도 탁월하고 실행 가능성이 높은 전략수립이 가능해진다.

위험을 무릅쓴 결단과 집요한 실행

그렇게 쉬운 방법으로 사업전략 수립이 가능하냐고? 여러 해

전 세계적인 명성을 가진 전략컨설팅회사가 미국의 한 대기업에 성장 전략컨설팅을 해준 보고서를 직접 볼 기회가 있었다. 수십억 원짜리 보고서가 너무 짧고 결론이 너무 단순하여 놀랄 정도였다. 그 대기업은 수십억 달러의 매출을 올리는 인테리어 및 건축자재를 판매하는 회사였다. 보고서의 결론은 자재만 팔지 말고 설치해주는 서비스를 함께 제공하라는 것이었다. 그 회사는 보고서대로 설치서비스를 결합하여 판매함으로써 매출이 빠르게 성장하기는 했다. 그러나 그런 정도의 전략적 선택은 경영진이 판매현장에서 일하는 직원들 몇 사람과 허심탄회한 대화만 해도 바로 얻어낼 수 있다.

내가 책임을 졌던 한 외국사업장은 다른 어떤 지역의 공장보다 생산 역량이 뛰어났다. 그 지역 사람들은 분석적인 사고와 지식을 시스템에 축적하는 훈련이 문화의 일부로 몸에 배어 있었다. 그래서 10여 년간의 공장가동 기간에 많은 개선을 이루었다. 그러니 생산 분야의 개선노력을 통해서 수익성을 개선할 여지가 그다지 많지 않음을 쉽게 알 수 있었다. 하지만 영업은 달랐다. 주력시장인 외국수출은 영업사원 한 사람이 담당했다. 더구나 그는 독점 에이전트와 대형 도매상을 이용하여 제품을 판매했다. 직접 영업을 하지 않고 독점 에이전트와 대형 도매상을 통해 제품을 유통시키는 구조이므로 높은 판매가격을 받는 것은 구조적으로 불가능했다.

따라서 유통개혁을 통해서 판가를 끌어올리면 수익성 개선 효과가 상당하리라는 판단은 누구라도 쉽게 할 수 있는 것이다. 그런 판단에 따라 집중적으로 유통구조 개혁을 추진한 결과 획기적 수익성 개선이라는 개가를 이루었다(매출이익율이 전년 대비 1.34배 높아짐). 그냥 생산, 영업, 유통망…… 그런 순서로 하나하나 뜯어본 것뿐이다. 얼마나 단순하고 얼마나 상식적인 분석인가.

그 정도의 분석은 경영을 조금이라도 아는 사람은 누구나 차분히 살펴보면 할 수 있다. 리더는 이러한 종류의 프레임을 스스로 사용할 뿐 아니라 직원들에게 제공하여 리더와 같은 수준의 안목을 가지도록 육성해야 한다. 이것이 리더가 감독으로서의 자리를 지키면서 직원들의 일에 간섭하지 않고서도 조직의 힘을 극대화하는 방법이다.

"당신은 성공하였는데 도대체 왜 다른 사람들은 그렇게 쉬운 것을 찾아내지 못하는가?"

아마 그렇게 묻고 싶을 것이다. 그것은 바로 위험을 무릅쓴 결단, 그리고 집요한 실행이 있었기 때문이라 생각한다. 실제로 대부분의 사업 성공은 천재적인 전략가가 아니라 보통의 전략적 지능을 가지고 과감하게 결단하고 강력하게 실행하는 리더를 필요로 한다.

감독은 선수와 역할이 다르다

칼을 들고 말에 올라타 싸우던 시절에는 '일기토—騎討'라는 승부가 있었다. 괜히 애꿎은 부하들의 목숨을 허비하지 말고 장수끼리 말에 올라타 한 판 대결을 벌여 승패를 가르자는 것이다. 그러나 현대전에서는 일기토를 볼 수 없다. 지휘관은 전략을 짜고 전투의 밑그림을 조율한다. 과거와 달리 전쟁의 양상이 복잡하고 규모가 크기 때문에 전략적 결단과 거대조직을 이끄는 리더십이 더 중요하다.

리더가 이러한 전략적 결단을 제대로 하면서 조직을 이끌 때 조직의 성과는 극대화된다. 맥아더 장군이 인천상륙작전을 지휘하여 수많은 병사의 희생을 막을 수 있었던 것처럼 말이다. 맥아더의 전략적 결단이 없었더라면 낙동강 전선에서부터 북진하면서 엄청난 희생을 치러야만 했을 것이다.

이 작전에서 맥아더 장군의 위대함은 위험을 무릅쓰고 전략적 결단을 내렸다는 것이다. 리더가 이처럼 전략적 결단을 내리는 역할을 제대로 해야 조직이 살아나고 성과가 난다. 국내 사업장에서 품질 향상 작업이 성과를 내기 시작하던 시기에 공장에서 대량 불량이 발생했다. 몇몇 팀장들은 불량 정도가 심각하지 않으니 정품으로 판매하자고 주장했다. 그래야 불량품 처리에 따른 큰 금액의 손실을 피할 수 있다는 이유였다.

그러나 나는 전체 물량을 불량품으로 분류하여 할인 판매하도록 단호하게 결정을 내렸다. 이제까지 힘겹게 쌓아온 품질에 대한 고객의 신뢰를 무너뜨릴 수는 없었기 때문이다. 한 직원은 이때의 결정이 생산조직 전체에 엄청난 충격이었다고 말했다. 이 때문에 품질이 대한 직원들의 의식이 완전히 바뀌었고 품질을 최우선으로 여기는 생각이 시스템화되었다는 것이다. 기업조직에는 이러한 전략적 결단이 리더의 가장 중요한 역할임을 알지 못하는 리더들도 뜻밖에 상당수 있다.

일을 아주 치밀하게 처리하던 유능한 공장장이 있었다. 현장에서 기술적인 노하우를 쌓으며 유능한 기술자로 성장한 사람이다. 아쉬운 것은 기술적인 역량은 뛰어난데 위치에 걸맞은 리더의 역량을 쌓지 못했다. 그가 공장을 총괄하는 공장장의 임무를 맡으면서 부하직원에게 어떻게 일을 시켜야 하는지를 몰라 어려움을 겪기 시작했다. 그가 공장장으로 근무하는 동안에 많은 부하직원이 힘들어했다. 감독이 됐는데 문제가 생기면 선수들을 제쳐놓고 본인이 직접 뛰어들어 공을 차는 선수 역할을 했던 것이다.

그렇게 그라운드를 직접 누비고 다니니 정작 직원들은 문제가 발생해도 움직이지 않게 되었다. 공장장이 직접 생산현장의 오퍼레이터나 관리담당자에게 업무 지시를 해버리니 다른 직원들이 알아서 움직일 여지가 없어진 것이다.

당연히 그는 너무나 일이 많고 바빠서 힘들어했다. 일에 직접 뛰어다니며 관리하니 당연한 결과였다. 그리고 정작 중요한 일을 놓치는 경우가 발생하고는 했다. 그럼에도 자신의 스타일을 바꿀 수 없었던 탓에 조금씩 문제가 생겼고 나중에는 보직을 바꿔야 하는 상황에까지 이르렀다. 그처럼 유능한 사람이 감독과 선수의 역할을 구분하지 못해 자리를 옮기는 것은 참으로 안타까운 일이다.

훗날 그의 리더십 개발을 위해서 신경을 써서 교육하고 코치도 받게 해주었다. 직원들의 내면에 있는 강력한 욕구를 어떻게 조직의 힘으로 만드는지를 배우면서 점차 변화가 나타났다. 자신을 선수가 아닌 감독으로 바라보기 시작하면서 조직을 움직이는 법을 터득하게 되었던 것이다. 그러자 성과는 개선되고 함께 일하던 부하직원들도 그를 따르며 움직이기 시작했다. 그는 공장장의 역할이 단순히 공장을 돌리는 게 아니라 공장조직 전체와 설비에 대한 중요한 결정에 집중하는 것임을 깨닫게 되었던 것이다.

조직의 감정을 세심하게 어루만져라

리더는 전략적 결단과 더불어 직원들의 사기를 북돋아주고 신명나게 일하게 하여 조직의 힘을 극대화한다. 이순신 장군의 『난중일기』를 보면 장군은 장교들과 자주 술을 마셨다. 요즘 회사에서 하는 회식인 셈이다. 장군이 술을 좋아해서 그랬을까? 아마도 부하들과 격의 없는 대화를 나누기 위해서였을 것이다. 나폴레옹은 알프스 산맥을 넘을 때 추위에 떨며 고생하는 부하들에게 다가갔다. 그중 어린 병사들의 이야기를 들어주고 깊은 애정을 표현했다. 리더가 가장 어린 병사에게 이처럼 살갑게 구는 것을 본 병사들의 사기는 어땠을까?

이순신 장군과 나폴레옹처럼 부하들의 사기, 즉 감정을 주의 깊게 살펴보는 것은 너무도 중요하다. 어릴 적에 교향악단의 지휘자를 보면서 참으로 이상하다는 생각을 종종 했다. 악기도 연주하지 않고 손만 열심히 흔들어댈 뿐인데 왜 교향악단의 얼굴이자 최고의 대우를 받는 사람인지 이해하지 못했다.

지휘자가 가장 어려운 역할이라는 것을 이해한 것은 나중에 철이 들어서였다. 그리고 그야말로 가장 힘든 악기를 연주한다는 사실도 깨달았다. 지휘자는 교향악단 자체를 연주하고 있었던 것이다. 여러 악기가 내는 소리를 하나의 아름다운 음악으로 연주하고 연주자들의 마음을 하나로 모으는 예술을 펼친다.

직위가 높아지고 부하직원들의 숫자가 늘어날수록 교향악단 지휘자가 되는 셈이다. 예전에 현장에서 직접 뛰어다니며 일을 하던 실무자 시절보다 훨씬 더 어려운 도구, 즉 사람으로 구성된 복잡한 조직을 다뤄야 하기 때문이다. 그는 구성원들의 가슴에 꿈과 미래를, 희망과 열망을 심어주어야 한다. 거기에 다함께 일하는 직원들 상호간의 호흡과 감정도 조율해야 한다.

리더는 이 복잡한 도구를 사용할 때 감정을 가진 조직이라는 유기체를 지휘한다는 것을 이해해야 한다. 심리학자들은 사람의 기분이 나쁘거나 우울할 때는 지적인 능력이 떨어지고 비협조적인 태도를 보이게 된다고 한다. 반면 기분이 좋고 행복하면 창의적인 생각과 관대한 마음으로 협조적이 된다. 사람으로 이루어진 조직도 감정 상태에 따라 크게 달라진다.

그러므로 조직의 리더가 된다는 것은 조직의 감정을 세심하게 어루만져야 한다는 뜻이다. 사람들이 모인 조직을 감정이 담긴 탱크로 보고 긍정과 행복과 희망과 열정으로 채워줄 때 조직은 힘을 발휘하기 때문이다.

긍정과 희망을 주입하라

리더는 밝은 감정을 직원들의 혈관에 투입해주는 의사라 볼 수 있다. 그런데 긍정 대신 비난, 질책, 절망과 갈등을 주입하는 리더들이 참으로 많다. 예컨대 성과가 나오지 않는 것을 부하들의 무능력 탓으로 돌리고 오로지 질책과 책임 전가로 일관하는 것이다.

그러면서 자신은 직원들을 강하게 키운다고 합리화한다. 그렇게 '강하게' 키운 사람에게서 무슨 창의적이고 자발적인 성과를 기대하는가? 콩 심은 데 콩 나고 팥 심은 데 팥 나는 법이다. 부정적인 감정을 주입했는데 어떻게 창의적이고 도전적이고 헌신적이고 협조적인 결실이 맺힐 수 있을까?

나는 대기업, 중견기업, 그리고 외국계 기업을 두루 경험하면서 대부분의 직원은 큰 잠재력과 열정을 가지고 있다는 것을 발견했다. 한 설문조사에서 97.5퍼센트가 자신은 핵심인재라고 했는데 그 정도까지는 아니어도 많은 사람이 자신의 특성에 맞는 영역에서 조직에 크게 이바지할 만한 잠재력을 가지고 있었다. 그들 가운데 몇몇 사람들이 잠재력을 극한으로 발휘하기 시작하면 나머지 사람들도 그러한 분위기에 따라 움직이지 않겠는가? 이런 움직임을 제한하는 잘못된 온갖 결박들을 잘 풀어주기만 하면 얼마든지 가능한 일이다.

"아, 난 저 나이 때 저렇게 잘하지 못했는데. 대단하다!"

직원들이 일하는 모습을 보고 이런 감탄을 혼자 내뱉은 적이 한두 번이 아니다. 주위를 둘러보라. 긍정과 희망을 주입해주기를 갈망하는 직원들의 외침이 들리지 않는가?

부하가 이롭게 되는 것에 집중하라

CEO의 입김이 센 기업조직에서 이런 리더십을 발휘하는 것이 가능하냐고 반문할 수 있다. 직원들이 볼 때 상사인 임원들은 언제 해고될지 모르는 떠돌이 객일 수 있다. 그래서 임원들은 자신의 생사여탈권을 쥔 무소불위의 절대권력인 CEO에게 온갖 신경을 집중하기도 한다.

어떤 리더는 책임보다 면피를 하고 조직보다 자신을 먼저 챙긴다. 실패는 부하에게 책임 전가하고 성공의 열매는 혼자서 독식하는 모습에 직원들은 좌절한다.

하지만 현실이 냉혹하다는 이유로 직원들을 감싸지 못하는 리더는 오래가지 못한다. 그가 지휘하는 조직의 감정 탱크가 텅 비고 부정적인 것들만 가득 차는데 어찌 잠재력을 발휘하여 성과를 낼 수 있겠는가?

CEO에게 부하직원의 실수나 실패를 잘 설명하며 보호해주고 성과 창출의 공을 부하에게 돌린다면 부하직원이 감읍하여 따르지 않겠는가. 한번은 함께 일하던 직원이 업무회의 중에 윗분에게 심한 질책을 받았다. 나는 그 질책을 자신에 대한 책망으로 느끼지 않을 수 없었다.

"잘못은 제게 있습니다. 그는 저의 지시에 따라 일한 잘못밖에 없습니다."

내가 잘못을 떠안는 발언을 두 차례나 하자 윗분은 그를 책망하던 것을 그쳤다. 회의가 끝난 뒤에 그가 나에게 이런 말을 했다.

"이사님처럼 저희를 감싸주는 분을 본 적이 없습니다. 임원들은 윗분이 직원들을 질책하시면 그저 침묵을 지키거나 도리어 함께 질책할 뿐이었습니다."

그는 나와 호흡을 맞추어 일했으니 그의 일은 나의 일이라고 생각하였다. 그래서 당연히 나에 대한 질책이라고 느껴서 그런 것뿐인데 그에게는 충격이었던 모양이다. 이렇게 부하들을 보호하는 모습에서 직원들은 안정감을 가지게 된다.

"살고자 하는 자는 죽을 것이요, 죽고자 하는 자는 살리라."

이순신 장군이 한 말이다. 그는 그 말대로 자신을 던져 민족을 살리고 그 이름을 지금까지 전해준다. 『오자병법』에도 유사한 구절이 나온다.

"죽기를 각오하면 살 것이요, 요행히 살려고 하면 죽을 것이다."

수수께끼 같은 말이다. 살고자 노력하는 자가 살아야지 왜 죽는다는 말인가? 또 죽고자 하는 자는 죽는 게 당연할 텐데 어째서 살리라고 한 것인가?

그러나 『오자병법』은 영적인 진리를 전하는 종교 경전이 아니다. 가장 실용적인 병법서이자 수많은 전투 경험을 통해 나온 실전지침서이다. 나는 회사생활에서 시행착오를 거치며 그 원리가 기업조직의 현장에서도 그대로 적용됨을 알게 되었다. 사람은 누구나 자신의 이익에 관심이 있다. 그래서 부하를 게임 상대로 보고 어찌하든지 많은 이득을 보려고 이용하기도 한다. 그런 사람들이 아주 똑똑해 보이기도 한다.

그러나 상대도 바보가 아니다. 부하도 누가 자신에게 이득이 되는지 너무나 잘 안다. 알 뿐 아니라 생존을 위해서 자신에게 손실을 끼치는 보스에게는 보복하고 이익을 주는 사람을 가까이하고 따른다. 사람의 본능인데 누가 막겠는가?

이러한 원리는 우리의 본능과는 반대되기에 이해도 어렵고 실천도 어렵다. 그래서 오자도 죽기를 '각오하라'고 했던 것이다. 쉬운 것이면 각오할 필요가 있겠는가? 그러나 당신이 '각오하고' 부하가 이롭게 되는 것에 집중하면 반드시 기대한 것보다 넘치게 돌려받을 것이다. 세계 최장수 베스트셀러이며 서구문화의 사상적 기반이 된 『성경』도 같은 교훈을 주고 있다.

"누구든지 제 목숨을 구원코자 하면 잃을 것이요 누구든지 제 목숨을 잃으면 찾으리라."

이 정신은 훗날 내가 이끄는 조직이 강한 능력을 발휘하는 데 기반이 되었다. 앞에서 말한 그 직원은 그 후부터 나의 든든한 우군이 된 것은 물론이고 탁월한 성과를 창출했다. 이렇게 자기 휘하의 부하들을 보호해주는 리더 밑에서는 직원들이 마음 놓고 일을 하여 성과를 내게 되는 것이다. 그렇게 만들어진 성과가 리더를 보호해주는 안전장치가 된다. 설령 이런 용기 있는 행동으로 직원들을 위해서 좀 손해를 보면 어떠랴? 리더가 이런 마음가짐으로 살 때 조직은 강력한 군대로 살아난다.

03

직원들을 열정적인
동지로 만들어라

동료와 동지의 차이는 뭘까? 사전을 보면 동료는 '같은 직장, 같은 분야에서 함께 일하는 사람'이다. 동지는 '목적이나 뜻이 서로 같은 사람'이다. 그래서 동지는 동료와 달리 왠지 비장한 느낌마저 든다.

동지는 뜻을 함께하는 관계이다. 그래서 동지의 관계는 동료보다 더욱 밀접하고 진지하다. 어려운 고비를 맞이했다고 해도 쉽게 등을 돌리거나 서로를 쉽게 포기하지 않는다. 대의를 품은 사람들끼리 모인 집단에서는 뜻을 이루는 과정에서 서로를 위해 목숨마저 내놓기도 한다. 독립운동이나 민주주의를 위해 싸우던 동지들은 목숨을 초개같이 여기기까지 하지 않았던가?

칭기즈칸은 아버지를 여의고 수많은 고초에 시달려야 했다. 때로는 목숨을 부지할 수 없는 상황도 여러 번 겪었다. 넓은 초원에서 그가 살 수 있는 손바닥만 한 땅도 없었다. 그런데 그를 살리고 초원을 정복하게 한 것은 바로 동지들이었다.

그의 뜻을 따르던 동지 중에는 적군 출신도 있었다. 칭기즈칸의 평생 동지라 일컬어졌던 '4맹견' 중의 한 명인 제베는 전투에서 칭기즈칸이 탄 말을 화살로 쏘아 쓰러뜨린 장본인이다. 그러나 그는 칭기즈칸의 평생 동지가 되어 제국 건설에 평생을 다 바쳤다. 나머지 4맹견의 일원들도 평생 동지로 자신의 일생을 칭기즈칸과 함께했다. 그리고 참모 역할을 충실히 한 '4준마'라 불렸던 인물들도 동료가 아닌 동지로서 곁을 지켰다.

리더는 회사조직이나 단위조직을 이러한 동지 조직으로 만들어야 한다. 경제적인 필요에 따라 모인 회사조직이지만 동지 성격의 사람들이 일하는 조직으로 만드는 것이 가능하다. 동료로 관계를 맺기 시작했지만 동지의 색깔을 칠해가야 한다. 그럴 때 조직은 강력해진다.

대기업조직에서 단위조직 책임을 진 리더도 얼마든지 이러한 동지조직을 만들어낼 수 있다. 어느 회사에서나 그렇듯이 혁신은 기존의 고정관념과 기득권을 깨뜨리는 어려운 일이다. 포스코의 혁신조직도 또 한 번의 성공 스토리를 만들기 위한 어려운 과제를 추진하면서 적지 않은 저항으로 어려움을 겪었다. 그러나 그 조직을 이끌던 리더는 다음과 같이 호소했다.

"우리가 건강하게 살아서 일흔 살이 될 때 모두 모입시다. 그때 지금 몇 년의 어려움을 이기고 우리가 몸담았던 회사를 그토록 멋

지게 변화시켰노라고 자랑스럽게 회상할 수 있도록 지금 후회 없이 일합시다."

그 조직의 직원들은 모두가 그러한 호소를 마음으로 받아들였다. 그들은 먼 훗날 돌아보아도 부끄럽지 않게 일하자는 뜻을 같이하는 동지가 되어 어려운 혁신 작업을 추진해 나갔다. 리더는 단순한 직장동료를 동지로 만들어 강한 조직의 힘을 이끌어냈던 것이다.

직원들의 미래에 관심을 가져라

리더는 업무 외에도 개인적인 관심을 직원들에게 쏟으려 애를 써야 한다. 직원들에 대한 깊은 관심이 조직을 강하게 만드는 강력한 힘이 되고 동료를 동지로 변화시키는 시작점이 되기 때문이다. 특히 관심을 두어야 하는 것은 직원들 각자의 미래이다. 직원들의 가장 깊은 관심사가 그들 자신의 미래이기 때문이다. 그래서 직원들의 미래에 대해 의견을 교환하는 것은 아주 중요하다.

리더는 그들이 그리는 미래에 대해서 진지하게 듣기도 하고 개별적인 조언도 해야 한다. 공식적인 자리 외에 워크숍이나 회식자리도 관심을 표현하는 기회로 활용할 수 있다. 미국의 저명한 정신분석학자인 시오도어 루빈은 말했다.

"다른 사람에 대한 정직하고 진실한 관심만이 당신의 가장 강력한 설득력이 된다."

개인의 미래에 대한 것뿐 아니라 그저 단순한 개인사에 관한 관심, 하다못해 진심 어린 악수 한 번만으로도 직원들은 감동한다.

나는 한 외국사업장에서 공장의 기술직 사원들에게 회사의 경영상황을 설명한 적이 있다. 설명회가 끝나고 모인 직원들 한 사람 한 사람과 일일이 악수를 하며 현지 말로 "고맙습니다."라고 말했다. 그런데 어떤 직원들은 나와 악수를 했다고 며칠씩 손을 씻지 않았다는 믿기 힘든 이야기를 듣게 되었다.

잘 이해가 되지 않아서 물으니 그 지역은 워낙 계급의식이 강하고 귀족작위도 있는 문화여서 큰 회사의 대표와 손을 잡는다는 것은 직원들로서는 평생에 감동적으로 기억할 만한 사건이라는 것이었다. 직원들은 자기들에게 보여준 이런 작은 관심과 정성을 회사에 대한 애정과 적극적인 개선작업의 참여라는 형태로 보답해주었다. 작은 관심이 얼마나 큰 기적을 불러오는가!

생산공장에서 관리자로 근무하던 직원이 있었다. 그 직원은 매번 평가 때마다 열등하다는 평가를 받았다. 어느 날 나는 공장을 둘러보다가 그 직원이 담당하는 공장이 정리가 잘 되어 있을 뿐 아니라 꼼꼼한 관리의 손길이 구석구석까지 미치고 있음을 발견하였다. 그래서 그에게 칭찬과 격려를 해주었다. 그 뒤에도 관심을 두고 한두 차례 불러서 격려를 해주었다. 그 해 말 인사평가에서 유쾌한 소식을 듣게 됐다. 그 직원이 우수등급을 받은 것이다. 생산본부장에게 물어보니 그 직원이 일하는 방식이 확 바뀌었고 회사 성과에 많은 이바지를 했다는 것이다. 늘 열등한 직원으로 낙인 찍힌 사람이 단지 몇 번 격려와 관심만으로 몰라보게 달라진 잊을 수 없는 경험이었다.

동지는 분신이다

나는 회사에서 추구했던 조직 운영방식을 표현할 때 홍길동의 분신술이라는 용어를 자주 썼다. 그가 동에 번쩍, 서에 번쩍하며 동시에 여러 곳에서 활동할 수 있었던 것은 자신의 분신이 함께 움직이기에 가능하다. 나는 회사에서 일할 때 홍길동처럼 분신을 만들어내자는 것을 모토로 삼았다.

리더의 확장으로서 일하는 분신, 즉 리더와 같은 방향으로 생각하고 리더의 열정을 품고 일을 하는 분신이 많으면 많을수록 일하는 게 얼마나 수월하겠는가? 독일군 최강의 전차부대를 이끌던 롬멜 장군이 구현하였던 임무형 지휘체계도 결국 하급 부대 지휘관을 상급 부대 지휘관의 분신으로 만드는 것이다. 전장은 수많은 불확실의 연속이며 사전에 아무리 치밀한 계획을 수립하여도 막상 추진과정에서는 매뉴얼대로 진행되지 않는다.

그런 전장에서 하급 지휘관에게 재량권을 부여하기 위한 전제조건은 그가 상급 지휘관이 원하는 바를 정확히 이해하고 행동할 수 있어야 한다는 것이다. 마찬가지로 끝없이 변화하며 급박하게 돌아가는 경영환경에서 리더가 원하는 바를 정확하게 이해하고 행동하는 '분신'들이 얼마나 절실히 필요하겠는가?

여기서 분신이란 단지 지시받은 일만 하는 수동적인 사람, 즉 '손과 발'을 말하는 것이 결코 아니다. 이익을 위해 야합하는 패거리 같은 것은 더욱 아니다. 아는 사람을 만나서 대화하던 중에 어떤 직원과 함께 근무한 적이 있느냐는 질문을 받았다. 왜 그러냐고 묻자 그의 대답이 이러했다.

"그 사람이 하는 말과 너무 비슷한 말씀을 하시기에 여쭤봤습니다. 사용하는 용어도 그렇고 논리나 내용도 너무 비슷하네요."

수년간 회사에서 일하는 동안 곳곳에 생각, 일하는 방식, 사용하는 용어까지도 비슷한 분신들이 많이 생겼음을 알게 되었다.

시스템인가 사람인가

어떤 이들은 회사에서 시스템이 가장 중요하다고 주장한다. 그런데 시스템을 움직이는 것은 사람이다. 리더의 분신들, 즉 조종당하는 꼭두각시가 아니라 꿈과 가치를 공유하고 열정을 자발적으로 뿜어내는 분신이 많아져야 시스템이 제대로 작동한다. 스스로 판단하고 행동하는 진짜 분신 말이다. 시스템은 이러한 사람들이 일을 잘할 수 있는 구조틀로서 보조적인 역할을 할 뿐이다.

일본 교세라의 창업자이자 다 무너져가던 일본항공JAL을 되살린 이나모리 가즈오는 '아메바 경영' 시스템을 근간으로 삼아 성공 신화를 써내려갔다. 아메바 경영은 불과 0.2밀리밖에 되지 않는 단세포인 아메바가 세포 증식을 통해 살아남는 것에 착안하여 조직을 잘게 쪼개 독립채산제로 운영하는 시스템을 말한다. 소규모로 사업단위가 나누어져 각각의 관리자들이 독립적으로 운영하는 것이다. 즉 직원이 개별 사업의 주체이자 경영자로 활동한다. 전 사원이 경영에 참가할 수 있는 시스템이다.

이나모리 가즈오는 아메바 경영 시스템 성공의 전제조건은 회사의 핵심가치가 철저하게 조직에 공유되는 것이라고 했다. 회사는 직원들의 물적·정신적 행복증진을 위해 존재한다는 핵심가치 말이다. 그와 같은 가치체계로 무장한 분신들이 없으면 아무리 정교한 시스템도 의도된 대로 작동되지 않는다고 생각했다.

회생이 불가능인 JAL에 구원투수로 투입된 이나모리 가즈오가 가장 먼저 직원들의 정신을 고치며 핵심가치를 공유하는 작업부터 시작한 것은 당연한 일이었던 것이다. 이렇게 같은 가치를 공유하는 분신들이 가득 차야 비로소 아메바 경영 시스템이 작동되기 때문이다.

이처럼 리더는 자신과 비슷한 생각을 하며 일하는 사람들을 곳곳에 만들려고 애써야 한다. 리더와 같은 가치와 방식으로 같은 열정을 품고 일하는 사람을 여럿 만들어서 어느 조직에 속하더라도 능력을 발휘하게 해야 한다.

리더만 바라보는 해바라기가 아니라 리더를 뛰어넘는 미래의 리더를 길러내야 한다. 시간은 흐르고 인생은 물러날 때가 온다. 그럼에도 조직은 번성하고 기업은 존속해야 하기 때문이다.

04

보고를 위한 보고는
필요없다

리더는 조직을 무거운 보고의 부담으로부터 해방시켜야 한다. 그래야 조직이 본연의 일에 집중하면서 성과를 내게 된다.

직장인들의 우스갯소리 중에 이런 말이 있다. 어느 날 하늘에서 듣도 보도 못한 운석이 떨어졌다. 모두가 이게 무얼까 궁금해 하는데 그 대처방식이 기업마다 다르다. 한 회사는 "모여서 회의를 한다." 다른 회사는 "모여서 보고서를 쓴다." 무슨 일이든 생기면 무조건 회의를 하거나 모두가 매달려 보고서의 문구를 수정하는 기업들의 비효율적인 행태를 꼬집는 이야기이다. 회사생활을 하면서 회의나 보고에 투입되는 엄청난 노력에 질려본 독자도 많으리라.

어떤 회사에서는 보고서의 토씨까지 매만지며 온 힘을 기울이고, 또 어떤 회사에서는 어마어마한 분량의 보고서를 만들기도 한다. 이렇게 보고에 짓눌린 조직이 어떻게 시시각각 변하는 경영환경에 대처하며 생존을 위해 움직여 갈 수 있을까?

파워포인트로 만든 연도 사업계획 보고자료가 무려 100쪽이 넘는 경우도 보았다. 배포되지 않은 백업자료까지 고려하면 아마 200쪽은 가뿐히 넘었을 것이다. 이만큼의 자료를 만드느라 직원들이 얼마나 고생했을까 궁금했다.

"이 자료를 만드는 데 얼마나 걸렸지요?"

"수많은 직원이 여러 날을 밤낮없이 매달렸습니다."

"대체 왜 이렇게 많은 분량의 보고서를 만드는 거지요?"

"그거야 윗분들이 그렇게 원하시니……."

나는 어이가 없어서 그 이유를 좀 더 캐물었다. 보고하는 자리에서 윗분의 질책을 반복적으로 받다 보니 가능하면 보고서를 자세하게 만들어서 어려운 상황에 대비하려고 보고서의 양이 늘어난 것이었다. 회의 때마다 배포되는 엄청난 회의자료의 분량에 놀란 적도 많았다.

중요한 역량이 회의나 보고자료를 만드는 데 얼마나 많이 소모적으로 투입되는가? 전투상황을 일일이 지휘부에 보고하느라 정작 전투에 투입될 인력이 보고서 준비에만 매달리는 형국이었다. 이래서야 어떤 군대가 전투에서 이길 수 있겠는가? 보고서는 현장에서 이뤄지는 일의 방향이나 결과를 경영진과 의사소통하는 보조수단일 뿐이지 않는가? 보고서의 분량은 엄청나지만 진짜 의미 있는 의사소통은 전혀 이루어지지 않는 경우가 얼마나 많은가? 그런데 주객이 전도되어 보고서가 조직 전체를 짓눌러 숨이

막힐 지경으로 몰고 가는 정도의 회사가 지금도 있지 않는가?

보고가 일의 목표는 아니다

최소한의 보고서가 필요하기는 하지만 보고서에 집중하느라 조직의 원래 존재 목적인 일에 집중하지 못하는 상황이 곳곳에서 벌어진다. 경우에 따라서 보고서와 회의는 그 자체가 일의 목적처럼 돼버려 막상 현장의 일은 손도 못 대고 가감 없는 의사소통은 가공된 정보로 대체되는 경우도 얼마나 많은가?

내가 새롭게 경영책임을 진 한 외국사업장도 보고 때문에 몸살을 앓고 있었다. 내가 책임자가 되기 전에는 회장이 월 1회 방문하여 직접 보고를 받고는 했다. 아마 한 달에 한 번씩 보고를 직접 받으며 직원들이 하는 일을 점검하고 독려하기 위해서였을 것이다. 하지만 현장에서는 회장의 의도와는 달리 정반대의 효과가 나타나니 참으로 답답한 노릇이었다.

회장이 보고를 받은 후에 보고가 잘됐으면 일을 잘한 것이라 여기고 칭찬을 한다. 보고의 내용이 미흡하면 심한 질책이 떨어질 것은 당연하다. 직원들은 생사여탈권을 쥔 회장에게 질책받는 것이 두려워서 보고를 준비하는 데 대부분의 시간을 쏟아부었다.

회장에게까지 보고를 해서 결정을 받아야 하거나 경영진이 의사결정에 참고해야 하는 중요한 사항은 직원들 업무 가운데 극히 일부일 뿐이다. 대부분의 업무는 일상적으로 반복되는 것이고 회장까지 알아야 하는 중요한 내용이 전혀 아니기 때문이다. 이처럼 현장의 자잘한 업무까지 회장에게 보고할 수는 없는데 매달 보고를 해야 하는 부담감은 엄청나다. 어떤 일이든 회장에게 보고할 만한 사항으로 포장해야 하는데 그마저도 쉽지 않다.

그런 상황에서 매달 회장이 직접 보고를 받으러 오니, 직원들은 한 달에 거의 보름을 보고 준비에 할애했다. 심지어 회장 도착 전에 자기들끼리 사전 보고점검 회의까지 했다. 회장이 방문하여 보고가 끝나면 회장이 격려 회식을 한다. 보고과정에서 혹시라도 야단을 맞으면 직원들끼리 술을 마시며 서로 위로한다. 그러다 보면 또 한 주가 그냥 흘러가는 것이다.

다시 일을 시작하여 한 주가 지나면 또 다음 달 보고 준비에 매달리는 악순환이 계속된다. 극단적인 사례처럼 들리겠지만 형태는 달라도 이처럼 보고에 치이고 보고가 가장 중요한 업무가 되어 있는 조직이 많지 않은가? 이러한 상황을 개선해주지 않고 어떻게 조직이 성과를 낼 수 있으랴?

보고를 위해 일하는 악순환을 끊어라

내가 이 사업장의 경영책임을 맡고 나서 회장이 방문하겠다는 연락을 받았다. 직원들은 걱정스러운 얼굴로 보고 준비를 어떻게 할지 물었다.

"보고는 없습니다!"

직원들은 믿기지 않는다는 듯 나의 얼굴을 쳐다봤다.

"수첩에 간단히 자기 업무의 가장 중요한 사항을 두 가지만 메모해 와서 구두로 보고하세요. 여러분 머릿속에 들어 있지 않은 내용은 회장께서도 알 필요가 없습니다."

"회계팀에서는 재무제표 요약본 한 장만 준비하세요."

직원들은 불안해하는 눈치였다.

회장이 도착하자 나는 일정을 설명하면서 과거처럼 이틀씩 걸리는 보고는 없다고 했다. 공장을 방문하는 날 현장에서 직원들과 편안하게 대화하며 주요사항을 듣는 시간을 갖겠다고 했다. 그리고 현지인 간부직원들과 면담도 하고 격려도 해주시고 더불어 식사도 하시도록 자리를 만들었다고 대략의 일정을 보고했다. 방문일정은 장황한 보고 없이 끝났고 떠나기 전에 회장은 "김 대표는 나에게 일 시킬 줄을 아는군요."라며 만족감을 표시했다.

보고를 위해 일하는 악순환의 고리가 끊어진 것이다. 보고에 투입되던 에너지를 일에 집중적으로 투입할 수 있었고 회사의 성과가 개선된 것은 두말할 필요가 없다. 심혈을 기울여 만든 보고서보다 중요한 사항에 대해 편안하게 대화하면서 가공되지 않은 생각과 정보를 공유하며 생각을 맞추는 것이 얼마나 더 좋은가? 화려한 보고서보다 간단한 메모 한 장으로 대화를 나누는 것이 얼마나 더 효율적인가? 리더가 이러한 방식을 선택할 때 조직은 무거운 보고의 부담에서 벗어나 날아오르기 시작할 것이다.

혁신의 성공도 문화에 달렸다

보고서와의 전쟁이 늘 이렇게 쉬운 것은 아니다. 보고서는 인간의 두려움을 먹고 독버섯처럼 피어오르기 때문이다. 보고서와의 전쟁에서 가장 강력한 무기는 '큰 그림의 철저한 공유' 작업을 시행하는 것이다. 이런 공유작업이 진행되면 공유된 그림이라는 기반 위에서 서로의 의사소통이 편해지기 때문이다.

이러한 '큰 그림의 공유'라는 개념을 실시하기 위해서 유용하게 쓸 수 있는 수단이 '균형성과지표BSC'다. 많은 사람이 BSC가 MBO를 대체하는 평가제도로 알고 있고, 실제로 많은 기업이 BSC를 구축하고 평가제도로 사용한다. 하지만 본래 BSC는 전략 스토리를 공유하는 것을 통해 '전략 중심으로 정렬된 조직(SFO, Strategy Focused Organization)'을 만들어내는 것을 목적으로 한다.

BSC를 적용하더라도 보고서와의 전쟁은 각 조직의 책임자와 특유한 문화에 따라 결과가 다르게 나타난다. 국내에서 거의 최초로 그리고 성공적으로 BSC를 도입한 모 그룹에서조차 경영자와 개별 회사의 문화에 따라 BSC가 다른 형태로 구현되었다고 한다. 구성원들이 두려움을 느끼지 않으면서 불합리한 것을 개혁하고 보스에게도 꼭 할 말을 할 수 있는 문화가 정착되어야 보고서든 회의든 효율적으로 활용될 가능성이 높다. 그렇지 못한 곳에서는 어떤 좋은 혁신의 툴도 왜곡된 결과를 만들어낸다.

05

팀워크가
중요하다

기업조직에서 채택하는 제도는 서구에서 비롯된 게 많다. 그러나 조직의 형식과 별개로 그 안에서 일하는 사람을 지배하는 것은 토착문화이다. 이런 토착문화를 고려하지 않고 무조건 서양의 것을 가져와 심는 것은 위험한 일이다.

미국인들은 갓난아기도 혼자 재운다. 아기가 엄마의 따뜻한 품에서 잠 자지 않고 혼자 울다가 잠들면서 커간다. 개인주의 문화는 이처럼 아기 때부터 몸에 체득된다. 아이가 자라 고등학교를 졸업하면 독립을 당연시한다. 인생의 중요한 의사결정, 즉 결혼이나 직업도 대체로 혼자 결정한다. 부모에게 의지하고 사는 모습을 보면 낯설어 하고 마치 캥거루가 어미주머니에서 지내는 것처럼 보인다고 캥거루족이라 놀린다.

내가 만난 미국인들 대부분은 독립적이고 개인적인 성향이 강했다. 그들의 조직도 이런 개인주의 문화에 맞춰져 있다. 인사제도와 경영기법도 개인주의 토양에서 생긴 것이다. 한국은 미국과 달리 집단문화이다. 한국에서는 아이가 어느 정도 자랄 때까지도 엄마의 품에 안겨 잠든다. 가족이나 친구와의 관계도 개인주의보다 상호의존적인 관계에 가깝다. 농경사회에서 수천 년 동안 태어날 때부터 보던 얼굴을 죽을 때까지 보며 함께 사는 법을 뼛속 깊이 새겼다.

미국처럼 갓 스물이 되어 집을 떠난 후에 죽을 때까지 연락조차 되지 않아도 그만이라는 것은 상상할 수 없다. 이처럼 집단문화와 가족중심문화는 한국인의 유전자에 각인되어 있다. 집단 문화에서는 다른 것보다 같은 것을 선호한다. 혼자 독립적으로 하는 것보다 같이하는 것을 편안하게 여긴다. 이처럼 한국 문화는 미국 문화와 상당히 많이 다르고 이질적이다. 그런데 미국의 제도를 그대로 우리 기업에 적용하고서 잘 운영되리라 기대하는 것을 보면 참으로 의아한 생각이 든다. 미국에서 잘 자라는 포도를 기후와 토양이 전혀 다른 한국 땅에 심어도 당연히 잘 자라리라 믿는 것과 무엇이 다른가?

성과 측정의 딜레마

엄격한 상대평가제도를 채택하면 직원과 직원이 서로 투쟁하고 서로 불신하며 경쟁의 대상으로 생각하게 된다. 협업이나 공동의 성과 따위는 관심 밖으로 밀려난다. 상대평가의 치명적인 단점은 팀워크보다 개인의 성과에 초점을 맞추는 데 있다. 조직으로서는 그래야 최대의 성과를 낼 것이라는 전제가 깔렸다. 그러나 과연 그럴까?

기업조직은 대부분 협업을 통해 성과를 창출한다. 혼자만의 노력과 능력만으로 성과를 창출하는 경우는 거의 없다. 더구나 모두가 수긍할 만한 수치적 기준으로 성과를 측정할 수 있는 업무영역은 거의 없다고 보아도 된다.

다른 사람과 좋은 관계를 맺고 협력하며 살고 싶어 하는 것은 인간의 가장 본능적인 욕구이다. 그래서 에드워드 데시는 『마음의 작동법』에서 다음과 같이 말했다.

"인간은 유능하고 자유롭다는 느낌만으로는 만족하지 못한다. 유능하고 자유로운 가운데 남들과 연결되어 있다는 느낌을 원한다."

상대평가제도는 이러한 인간의 본능에 반하는 행동을 강제하여 직원들에게 고통을 주고 조직을 약화시키는 부작용까지 낳을 수 있다.

더구나 개인주의 문화가 강한 미국과 달리 우리나라 사람들은 함께 신 나게 어우러져 일하면서 행복을 느낀다. 이런 집단적 문화가 강한 한국 기업에 상대평가를 엄격하게 적용하는 것은 미국에서보다도 부작용이 더 심하게 나타날 가능성이 높다. 매년 인사고과의 시기마다 많은 임원이나 팀장은 하소연한다.

"평가를 일정비율로 강제할당을 해야 하는데 그렇게 하면 자칫 회사에 꼭 필요한 직원이 나쁜 평가를 받고 회사를 떠날 수도 있으니 어찌하면 좋을까요?"

어느 기업이든 아주 탁월한 인재는 아니지만 중요한 일을 하는 축구의 수비수 같은 직원들이 많다. 이런 직원들은 드러나지는 않지만 오랫동안 축적된 노하우로 회사의 업무를 안정시키는 기둥 같은 역할을 한다. 그런데 이런 직원들은 상대평가제도에서 늘 불이익을 받게 된다.

그래서 그들이 상처받고 떠나버리면 오래 축적된 노하우까지 사라져버리게 된다. 보이지 않는 곳에서 회사의 기반이 무너져 내리는 것이다. 또한 그들을 바라보는 다른 직원들의 마음도 함께 무너지면서 조직은 상처를 입게 된다. 엄격한 상대평가제도를 전 세계로 전파한 GE나 유사한 상대평가제도를 시행하던 마이크로소프트는 결국 이 제도를 없애버렸다.

상대평가제도 보완

평가제도 자체에 대한 깊은 논의를 여기서 할 수는 없다. 다만 팀워크를 해치지 않기 위해 최선을 다해야 한다는 것을 강조하고 싶다. 국내 기업들이 상대평가제도를 많이 채택하고 있는 현실에서 내가 구체적으로 시도했던 노력을 소개한다.

먼저 인사제도 자체를 보완할 수 있는 권한을 가지고 일을 하는 동안에는 제도의 보완으로 상대평가의 본질적인 문제를 해결하려 했다. 실질적인 등급은 2개로 단순화하고 절대평가에 가까운 제도로 보완했는데 대부분의 직원은 '보통(G)' 등급을 받고 탁월한 성과를 내어 모두가 인정할 만한 사람들만 '우수(E)' 등급을 받는 구조였다. 물론 최악의 직원들을 조직에서 배제하는 장치는 남겨두었다(I 등급). 어느 조직이나 극소수의 문제아들은 있을 수 있는 법이니까.

다만 등급배정에 조직 책임자가 재량을 발휘할 영역을 넓혀주었다. 평가제도의 본질은 제도 자체가 아니라 평가자의 역량에 달려 있고 조직을 비전 공동체로 이끄는 것을 지원하는 보조수단으로 작동되어야 한다는 믿음 때문이었다. 조직의 힘을 발휘하는 데 가장 중요하게 생각한 것이 팀워크였고 제도 보완으로 팀워크를 해치는 장애물을 조금이나마 개선해보려 한 것이다.

상대평가제도 자체를 개선할 수 없던 상황에서는 조직을 하나의 비전 공동체로 이끄는 데 집중하고 직원들이 평가결과를 이해할 수 있도록 신경을 썼다. 하지만 제도 자체의 벽을 넘지 못하는 아쉬움이 있었음을 고백한다. 하지만 모든 제도는 운용하는 사람에 의해서 결과가 많이 달라진다. 리더가 상대평가로 인한 부작용을 어느 정도까지는 완화할 수 있다는 뜻이다.

지난 2008년 베이징 올림픽에서 한국 야구가 금메달의 쾌거를 이룬 이면에는 금메달보다 진한 팀워크의 감동 스토리가 있다. 국제대회에서 매번 미국, 일본, 쿠바에 밀렸던 우리나라 야구는 베이징 올림픽에서도 메달권 진입이 목표였다. 당연히 팀 구성도 가장 기량이 뛰어난 선수들로 이루어져야 했다. 그런데 당시 국가대표를 맡았던 김경문 감독은 희생, 헌신, 협력할 줄 아는 선수를 우선으로 선발했다. 당시 KBO의 하일성 사무총장은 "인간성 테스트를 하느냐?"며 강하게 반대했다고 한다. 그러나 김경문 감독은 특유의 뚝심으로 자신의 선발기준을 밀어붙였다.

올림픽이 진행되던 어느 날 하일성 사무총장은 밤늦게 선수단숙소를 돌아보았다. 그런데 이택근 선수가 다른 선수들이 자는 방마다 돌아다니며 에어컨을 끄고 있었다. 이 모습을 본 총장은 내일이 시합인데 빨리 자지 않고 뭐 하냐며 야단을 쳤다.

"에어컨을 틀어놓고 자면 다음날 몸이 무거워져 컨디션이 안 좋아집니다. 저는 후보라서 팀에 이바지할 게 없으니 선수들이 최상의 상태에서 뛸 수 있도록 하려고 에어컨을 끄고 있습니다."

이택근 선수의 이야기를 들은 하 총장은 눈물이 났다고 한다. 개인 위주의 삶이 몸에 밴 프로야구 선수의 입에서 나올 수 없는 이야기를 들은 충격 때문이었다. 더군다나 이택근 선수는 당시 팀에서 중고참이었고 국내 프로야구에서도 실력을 인정받는 스타였다. 그런 선수가 팀을 위해 후배들 방까지 돌아다니며 에어컨을 끄고 있었던 것이다.

하일성 총장은 김경문 감독이 비록 후배이지만 자신보다 훌륭한 지도자라는 것을 인정하지 않을 수 없었다고 한다. 김경문 감독은 야구경기의 승패는 팀워크에 크게 좌우된다는 것을 정확하게 이해하고 그에 충실했던 것이다.

스포츠팀의 지도자는 협업과 팀워크의 중요성을 잘 알기에 어려움을 무릅쓰고 팀워크를 지켜서 성과를 낸다. 그런데 하물며 스포츠팀보다 훨씬 복잡하게 얽힌 기업조직의 책임자들은 팀워크를 더욱 중히 여겨 노력해야 하지 않을까?

팀워크를 증진하는 보상체계

대개 성과급이나 인센티브 제도도 협력해야 할 동료 사이에 또는 조직 사이에 경쟁을 일으키는 경우가 많다. 영업본부는 영업실적에 따라 개인별로 인센티브를 지급하고 생산 쪽은 생산성과 생산량에 따라 인센티브를 지급하기도 한다. 이러한 개인별 보상체계도 팀워크를 해치며 조직이 공유하는 전략목표에 집중하지 못하게 하는 장애물로 작동할 수 있다.

팀워크를 증진하기 위해서는 보상방식도 그에 맞게 변경이 필요하다. 나의 경우에는 팀장급 이상은 생산, 영업, 스태프 등 분야를 불문하고 회사 전체의 성과가 나면 그 성과에 따라 분기별 인센티브를 지급하는 방식으로 바꾸었다. 팀장에게 회사 전체 공통의 전략목표에 집중하라고 해놓고 보상은 개인의 성과나 개별 본부의 성과에 따라 지급하는 것은 모순이기 때문이다. 임무형 지휘체계에서 상급 부대 지휘관들이 원하는 바를 하급 부대 지휘관들이 정확하게 이해하고 실행하기를 기대하듯이 팀장들이 CEO 수준의 안목으로 일하기를 기대하면 보상체계도 그에 따르는 게 옳지 않은가?

과거에는 예를 들면 생산본부는 생산성 목표만 달성하면 좋은 인사고과와 인센티브 보상을 받았다. 이런 이유로 영업 쪽에서 고객의 요구대로 생산하기 어려운 품목의 생산을 주문하면 이런저런 핑계를 대며 거절하기 일쑤였다. 생산하기 쉬운 소품종 다량생산 오더를 선호하였던 것이다. 그러니 영업이 새로운 거래처를 개척하기도 어려웠고 고객의 니즈를 세밀하게 만족시켜 주며 충성도를 끌어올리기도 어려웠다. 그런데 보상체계를 개혁하면서 이 관행이 바뀐 것이다.

회사 전체의 성과를 기준으로 보상하면서 팀워크를 저해하는 장애물이 사라지자 생산본부도 시장에서 팔리는 제품, 고객이 만족할 수 있는 제품 생산에 집중했고, 고객과 시장을 우선으로 하는 생산과 영업이 정착되었다.

다만 대다수의 구성원들이 인정하고 동의하는 정도의 상황이라면 탁월한 사람에게 차등보상을 해도 부작용이 없다. 직원들끼리 모여서 차등보상을 받아야 할 사람을 협의하거나 공정한 투표로 선정한다면 조직에 긍정적인 효과로 작용할 것이다. 실제로 부서의 직원들이 모여서 성과급을 나누는 기준을 정하도록 하는 회사가 있는데 그 효과가 몹시 긍정적이라는 보고도 있다.

아이아스 딜레마

미국의 정치철학자인 폴 우드러프는 조직에서 지나친 경쟁은 '아이아스 딜레마' 상황을 만들 수 있음을 경고한다. 아이아스는 고대 그리스의 트로이 전투에서 영웅적인 활약을 했다. 그러나 아가멤논 왕의 제안으로 죽은 아킬레우스의 갑옷을 차지하기 위해 오디세우스와 경쟁을 벌였다. 이 경쟁에서 영웅적 전사는 아니지만 화려한 언변을 가진 오디세우스에게 패한 아이아스는 그 결과를 도저히 받아들일 수 없었다.

"말만 번드르르한 저 자가 전장에서 몇 명의 목숨을 구했지? 지휘관들의 눈을 속인 것 말고 저 자가 한 것이 무엇 있어? 공허한 말뿐인 군인에게 상을 주다니 어찌 이리 어리석은가?"

　결국 그는 미쳐 날뛰다가 죽음을 선택한다. 폴 우드러프는 『아이아스 딜레마』에서 상대평가와 차별보상의 한계를 비판하며 이렇게 결론짓는다.

　"형평성에 어긋나지 않으면서 각자에게 맞게 차별적으로 보상할 방법은 거의 없다. 그나마 보상으로 기대한 효과를 내지도 못한다. 훌륭한 관리자라면 구성원들이 공동체에 가치 있는 존재라고 느끼도록 다양한 방법으로 공로를 인정해 주려고 애써야 한다. 차별보상은 득보다 실이 많다. 또 승자에게 보상할 때는 패자가 모욕을 느끼지 않도록 주의해야 한다."

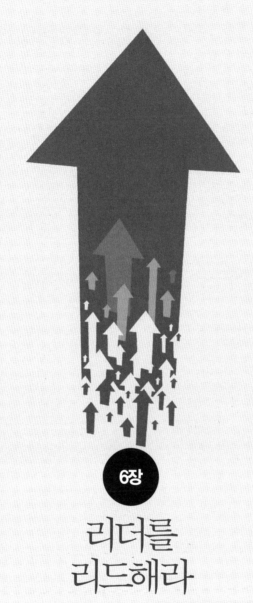

6장

리더를
리드해라

팀장은 자신들 위에 본부장이 있고 본부장들은 CEO라는
산을 반드시 넘어야 한다. 이렇게 산처럼 버티고 있는 자신의
보스에게 적절하게 리더십을 발휘하지 않고서는 조직에
진정한 변화를 주기 어렵다.

01

충성의 의미는 윈윈이다

"자네는 내 속에 들어왔다 나간 사람 같아."

어느 날 보스가 나에게 한 말이다. 학교 졸업 후 이제까지 일하는 동안 몇 차례나 비슷한 말을 들었다. 처음에는 이게 무슨 뜻인지 몰랐다.

간혹 어떤 사람들은 거의 실시간으로 보스의 동정을 파악하며 눈치를 살핀다. 자신이 맡은 업무보다 보스의 머릿속에 든 것을 읽어내는 데 집중하는 사람들이다. 나는 그저 일하는 것만도 벅차서 보스가 어떤 것을 원하는지 살피는 것은 잘 못하는 편이다. 그래서 어떤 의미로 보스가 나에게 그런 말을 했는지 처음에는 이해가 되지 않았다.

"자네 때문에 내가 시간이 많이 생겼어."라는 말도 들은 적이 있다. 이건 또 무슨 뜻인가? 나는 그저 내 일을 할 뿐인데 대체 무슨 뜻으로 한 말인지 역시 처음에는 이해가 되지 않았다. 그런데 찬찬히 생각하면서 그 뜻을 알게 됐다.

내가 만났던 보스들은 내가 주도적으로 추진하는 일들을 통해 자신이 원하던 것이 구체화되는 것을 보면서 마치 내가 마음속을 들여다보고 움직이는 것처럼 시원함을 느꼈던 것 같다. 그리고 그 일들에 대해서 더는 신경을 쓰지 않고 맡겨도 되겠다는 생각에 마음이 편안해져서 시간이 많아졌다고 느꼈으리라.

나는 보스의 안색을 살피기는커녕 때로는 반대의견을 과감하게 피력하기도 했다. 보스의 지시를 반대하기가 쉬웠겠는가? 과감히 "아니오!"라는 의견을 밝히기는 했지만 자존심을 상하게 하지 않으려고 무척이나 조심했다.

한번은 보스가 어떤 사람을 승진시키겠다고 결정한 뒤에 실무 처리를 지시했다. 나는 그 사람이 아직 여러모로 준비가 부족하다고 판단했다. 그런 상황에서 승진하게 되면 도리어 부담감에 짓눌릴 수 있고 후에 그 본인에게도 어려움이 올 수 있다는 판단이 든 것이다. 이미 보스가 결정한 사안이지만 좋지 않은 결과를 낳을 수 있다는 생각을 지울 수 없었다.

고민을 거듭한 끝에 신중하게 나의 의견을 피력하며 생각을 바꿔달라고 건의했다. 그랬더니 보스는 자신의 생각이 짧았다며 흔쾌히 내 제안을 받아주는 게 아닌가. 이런 보스와 일하는 것이 참으로 행복하다고 느꼈던 순간이다. 자신의 의견을 이렇게 바꾸는 열린 마음을 가진 보스를 만난 것은 행운이기 때문이다. 아마도 내가 정확하게 생각을 밝히며 반대의견을 피력한 것이 보스에게는 신선하게 느껴졌으리라 짐작할 뿐이다.

신성한 소 죽이기

회사의 CEO는 성과 창출이 최대의 관심사이다. 그러므로 보스는 자신과 다른 의견도 성과 창출에 도움이 된다면 기꺼이 받아들일 수 있는 것이다. 보스는 그렇게 누군가가 적극적이고 능동적으로 나서서 성과 창출에 과감할 정도로 매달려주기를 간절히 원하고 있을 것이다. 따라서 당신이 성과 창출에 진정으로 집중하고 있다면 신중하게 생각했을 때 보스와 의견이 다른 것은 분명하게 밝히는 것이 필요하다.

당신이 분명하게 의견을 밝히면 보스는 당신이 진정으로 성과에 집중하고 있다고 느끼지 않을까? 어쩌면 보스는 자신의 속을 당신이 읽고 있다고 느끼리라. 당신이 이렇게 보스의 신뢰와 공감을 얻으면 당신이 추진하는 모든 일에 강력한 지원자를 얻은 것이다.

유정식 대표의『착각하는 CEO』를 보면 프로이센의 철혈재상으로 유명한 비스마르크가 러시아에 갔을 때의 이야기가 나온다. 그는 황제를 알현하기 위해 궁전으로 갔는데 마침 궁전의 정원을 지나가게 됐다. 아무리 둘러봐도 별다른 것도 없고 중요한 곳도 아닌 것으로 보이는데 몇 명의 군사들이 정원 한가운데서 경계를 서고 있었다. 이를 의아하게 여긴 비스마르크는 황제를 만날 때 그 이유를 물었다.

황제는 군사들이 정원에서 경계근무를 서는 이유를 모르고 있었다. 그래서 그 자리에 있는 신하에게 물었더니 모르기는 마찬가지였다. 이윽고 경계근무를 책임지는 경호군관을 불렀다. 그러나 그도 그 이유를 몰랐고 그저 오래전부터 그래 왔다는 대답이 전부였다. 갑자기 궁전에 있던 모든 이들이 궁금증을 가지게 됐고 3일에 걸친 조사를 통해서야 겨우 이유를 알아냈다.

그 이유는 참으로 어이없는 것이었다. 무려 80년 전에 캐서린 대제가 겨울이 지나 봄이 올 무렵에 우연히 정원을 내다보니 꽃한 송이가 꽁꽁 얼어붙었던 땅을 뚫고 올라온 것이 보였다. 꽃이 대견스러워 아무도 꺾지 못하게 군사에게 지키게 한 것이다. 그리고 80년이라는 세월이 흐르고 흘렀지만 경비병들은 왜 여기에서 근무해야 하는지도 모른 채 그저 그 자리에서 계속해서 경비근무를 서고 있었던 것이다.

이와 마찬가지로 기업조직에도 선뜻 이해할 수 없는 지시나 관행이지만 윗분이 지시한 일이라고 섣불리 건드리지 못하는 신성한 소Sacred Cow, 즉 성역이 뜻밖에 많다. 이해가 되지 않으면 물어야 하는데 묻는다는 것 자체가 불충이고 심기를 건드리는 것이라 여긴다. 그래서 불합리한데도 개혁되지 못하는 상황이 얼마나 많은가? 합리적으로 생각하여 판단하고 성과 개선에 반드시 필요하다면 보스에게 이야기하면 해결될 수 있는 사안도 지레 겁을 먹고 침묵한다. 경영환경은 급변하고 경쟁자들은 거센 도전을 해오는데 언제까지 홀리 카우에 무력하게 끌려다니려는가?

그러나 당신이 보스보다도 더 성과에 집중하고 성과를 위해서 홀리 카우를 과감하게 깨뜨리고 나간다면 보스는 당신을 바라보며 카타르시스 같은 만족감을 느낄 것이다. 보스는 점차 당신을 의지하게 되고 당신의 조직과 성과는 날개를 달고 비상하게 될 것이다.

보스에게 인정받는 법

CEO는 사실 많이 외롭다. 특히 오너 CEO는 기업과 운명을 같이한다. 기업은 그의 인생 전부이다. 반면에 직원들은 CEO를 무서워하긴 하지만 결국 자신의 안위만 생각할 뿐이다. 회사가 침몰하면 떠나면 그만이다. 대부분의 CEO는 그런 직원들의 생리를 본능적으로 잘 알고 있다.

그래서 그 누구도 믿지 못하고 외로운 존재가 되는 것이다. CEO뿐 아니라 단위 조직의 책임을 진 모든 보스는 비슷한 이유로 외로운 것이다. 그러니 누군가가 기업이나 조직의 운명을 진심으로 고민하고 모든 것을 걸면 당연히 동지의식을 느끼지 않겠는가?

보스가 업무상 고민으로 밤잠을 설치고 피곤한 모습을 보이며 출근을 해도 직원들은 그 이유를 모른다. 보스는 직원들이 전혀 알 수 없는 고뇌와 부담에 눌려 있는데 직원들은 그저 컨디션이 안 좋겠거니 하며 피하기만 한다. 그런데 당신이 보스와 같은 곳을 바라보며 모든 것을 걸고 적극적으로 일하면 자신의 간절한 열망을 이루어주거나 적어도 그것을 알아주는 당신을 동지로 받아들이지 않겠는가?

그러나 보스의 고통과 짐을 함께 짊어지고 회사의 일과 보스의 전략목표를 자기 일처럼 염려하면서 노력하는 충성스러운 직원은 찾기 어려운 게 현실이다. 오죽하면 CEO들이 가장 받고 싶은 선물은 '회사의 경영철학을 이해하는 유능한 핵심인재 다섯 명'이었다는 설문조사 결과까지 있으랴? 이 다섯 명만 있으면 큰 조직도 거뜬히 돌아갈 수 있는데 이런 사람을 찾기 어렵다는 것이다.

비록 가진 것이라고는 몸밖에 없는 월급쟁이라도 당신이 가진 모든 것을 회사의 전략목표에 걸어보라. 그리고 보스에게 예의를 지키되 과감하고 공격적인 수준의 의견도 개진해보라. 당신이 이렇게 모든 것을 걸고 보스의 전략목표를 자기 것으로 삼아 모든 것을 쏟아 부어 움직일 때 보스는 당신을 마음의 동지로 받아들이지 않겠는가?

회사에서 수년 동안 꾸준히 추진하던 사업방향을 구조조정을 통해 정반대로 돌리는 어려운 결정을 내려야 할 상황이 발생했다. 두 달여에 걸친 검토와 고민의 결과, 다른 선택은 없다는 결론에 이르렀다. 하지만 문제는 '어떻게 고양이 목에 방울을 달까?'였다.

그동안 보스가 추진했던 사업방향을 정반대로 틀어버리는 결정이었기 때문에 고민을 거듭할 수밖에 없었다. 보스 자신의 위신과도 관련되는 문제였다. 아무리 생각해도 결론은 변하지 않았다. 나는 결심을 하고 보스와 장시간 대화를 나눴다.

"어려움에서 벗어날 길은 이 선택밖에 없습니다."

내가 결론을 말하자 보스는 나의 선택을 받아들였다. 나는 위기를 극복하기 위해 온 힘을 기울인 판단을 받아준 보스의 열린 태도에 감동하였다. 이처럼 회사의 성과에 집중하고 보스의 마음으로 생각할 때 보스는 당신을 진정한 파트너로 인정할 것이다. 성과 개선의 갈증에 시달리는 보스에게 생수와 같이 속을 시원케 하는 동지가 되는 것이다.

기업의 CEO는 무소불위의 권력을 휘두르기만 하는 존재가 아니다. 거의 모든 CEO들은 기업의 생존을 고민하면서 하루하루를 보낸다. 어떤 CEO에게서 흥미로운 이야기를 들은 적이 있다.

"내 주위에 있는 많은 2세 CEO들 가운데 장남은 드물어요."

당시 한 유명 기업에서 창업주인 부친과 현재 경영을 맡은 아들이 경영권을 두고 다툰다는 보도가 나왔을 때였다. 부친과 분쟁을 벌이는 사람은 사장을 맡고 있던 장남이었다.

"왜 장남이 드문지 아나요? 창업주에게 회사는 자신의 피와 땀을 쏟아 부은 결정체요, 자신의 분신과도 같아요. 자기가 낳은 아들보다 더 소중한 거지요. 그런데 첫아들에게 맡겨보니 경험도 짧고 나이도 어리고 해서 회사를 망칠 것 같은 거예요. 그러니 아들과 갈등을 겪다가 결국은 쫓아내고 말지요."

듣고 보니 일리가 있었다. 실제로 국내 많은 기업의 2세 경영자는 장남이 아니다. 기업의 후계자 선정과정에서 창업주와 장남의 관계가 그렇게 나빠진 경우를 몇 번 들은 적이 있다. 그는 둘째아들이 CEO의 후계자로 낙점되는 이유를 설명했다.

"둘째아들은 그렇게 당하는 형의 모습을 잘 봤으니 아버지에게 회사는 아들보다 더 중요한 것임을 깨닫지요. 그래서 둘째는 창업주를 아버지로 대하지 않고 회장님으로 모시게 되지요. 그러니 창업주의 눈에 들게 되는 거예요."

창업주 CEO의 회사에 대한 강한 집착과 애정을 익히 알고 있던 터라 수긍이 갔다. CEO는 회사에 모든 것을 걸고 있다. 그래서 월급쟁이라도 CEO의 분신 같은 회사를 위해 모든 것을 건다면 뜻이 통할 수밖에 없다. 외로운 보스의 고민과 열망에 같은 정도로 집중하면 반드시 보스는 당신을 파트너로 받아들이게 될 것이다.

극과 극은 통한다

한번은 회사의 어려움을 타개하기 위해 불가피하게 구조조정을 추진한 결과 임원 몇몇이 퇴직하거나 관장하던 업무의 폭이 급격하게 줄어드는 일이 생겼다. 당시 나는 국내외 수익법인 네 군데의 경영책임을 진 사업군 총괄 CEO이었다. 구조조정은 너무나 힘들고 고통스러웠다. 나는 상당한 심적 부담과 엉뚱한 루머에 시달려야 했다.

힘든 과정을 겨우 마무리했을 무렵에 몇몇 사람들이 나에 대한 반감으로 수군댄다는 이야기가 들렸다. 예전에도 몇몇이 나에 대한 부정적인 감정을 토로할 때가 간혹 있었다. 그런데 이번에는 그 정도가 달랐다.

"이 회사가 회장님의 회사 맞습니까? 아니면 김종수의 회사입니까?"

어떤 사람이 회장에게 이런 말까지 했다고 한다. 회장에게 그만큼 자극적인 말이 또 있을까. 내가 받은 충격도 대단히 컸다. 완전히 탈진할 정도로 실망했다. 오로지 회사를 살려보겠다고 모든 것을 걸고 그 어려운 구조조정을 마무리했다. 그 누구도 하지 않으려 피하는 일을 위험과 비난을 감수하면서 실행한 대가로 이런 비난과 욕설을 들어야 한다니 슬퍼지고 일할 의욕도 잃어버렸다. 왜 이렇게 일을 해야 하는지 의문과 허탈감으로 기진맥진해 있을 때 회장이 나와 몇몇 임원들을 저녁 자리에 불러 모았다.

"앞으로도 꺾이지 말고 계속해서 그렇게 가줘요. 누구도 가려 하지 않을 어려운 길을 회사를 위해 가줘서 고맙소."

나에게 그런 말을 몇 차례나 반복했다. 심정적으로 너무 지쳐 있던 터라 눈물이 날 뻔했다. 모든 것을 걸고 회사를 위해 매달렸더니 회장도 그것을 느꼈던 것이리라.

예스맨이 될 필요는 없다

보스도 사람이므로 자신에게 달콤한 말을 하는 사람을 가까이하는 경향이 있다. 하지만 보스가 회사의 성과에 집중하고 있으면 자신처럼 성과에 집중하는 사람을 원한다. 그래서 보스의 의견과 다른 의견을 과감하게 밝히더라도 받아들이게 된다. 보스의 말에 '노'를 많이 외치는 것은 힘들고 불편하다. 하지만 회사를 위해 어쩔 수 없이 그렇게 해야만 할 때는 피하지 말아야 한다. 외국사업장에서 많은 시간을 보내던 기간이었는데 한번은 회장으로부터 전화가 왔다.

"최근에 국내 사업의 실적이 안 좋아서 걱정입니다. 김 사장도 외국사업장의 일로 힘이 드니까 내가 직접 매주 현장을 방문해서 임원들에게 보고를 받고 일을 챙겨줄게요."

내가 외국의 과제만 해결하는데도 너무 힘드니 내가 관장하는 국내 사업 운영을 도와주겠다는 것이었다. 하루를 고민한 뒤에 회장과 통화했다.

"제가 직접 들어가서 국내 사업을 챙기겠습니다. 근본적으로 원가구조를 혁신하겠으니 저에게 맡겨주십시오."

회장이 매주 보고를 받으면 직원들은 보고하는 데 온 신경을 집중하느라 현장의 문제를 해결할 시간이 없어지게 된다. 원가혁신은커녕 매주 보고준비에 매달릴 것이 너무 걱정되었다. 회장의 좋은 의도와는 달리 전혀 엉뚱한 결과가 생길 가능성이 높았다. 그래서 나는 당시 외국의 업무만으로도 힘들었지만 국내에 두 달여 동안 체류하면서 직원들과 혁신전략을 세우고 실행을 직접 지휘했다. 그리고 애초에 목표했던 원가혁신과 구조조정을 실행한 결과 회사는 수익성 개선에 성공했다.

"그렇게 일하는 사람이 회사에 왜 또 없는 거지요?"

후에 회장이 나를 지칭하며 아쉬워했다는 이야기를 전해 들었다. 모든 것을 걸고 보스와 뜻을 같이하며 때로는 과감하게 "아닙니다."를 외치며 일하면 보스는 오래도록 당신을 기억할 것이다.

02

보스에게도
리더십을 발휘하다

합판 표면에 필름을 부착한 제품판매가 늘어나면서 가공라인에 추가로 투자하겠다는 계획을 세웠다. 당시 시장상황을 보니 충분히 가능성도 있었고 앞으로 수익성을 높이는 데 크게 이바지할 제품이라는 판단을 내렸기 때문이다. 그런데 직원들이 걱정했다.

"그건 회장님께서 이미 안 되는 사업이라고 생각을 정리하신 겁니다. 그래서 오래전에 추가 투자는 없는 것으로 결론이 나 있습니다."

나는 직원들에게 어떻게 되는지 잘 지켜보라고 했다. 그리고 회장에게 이 사업이 과거에 왜 실패했는지, 그리고 앞으로 어떻게 하여 성공할 것인지를 설명했다. 무엇보다 이 사업이 앞으로 수익성 창출에 크게 이바지할 것이라는 점을 설득했다.

회장을 설득하여 허락을 받고 해당 가공라인에 추가 투자를 집행하고 인력도 보강했다. 이 사업은 지금 중요한 사업부문으로 성장하였다. 하지만 새로운 프로젝트가 모두 그러하듯 성과가 가시화되기 전까지는 여러 사람이 지속적으로 우려와 의문을 표했다. 하지만 한 발도 물러서지 않고 사업을 지속해서 추진했다.

물론 회장을 설득하는 노력도 계속하였다. 회장은 서서히 사업의 성과를 이해하며 강력한 지원자로 변했다. 내가 그저 회장의 눈치나 살폈다면 회사는 이러한 사업성장과 수익 창출의 기회가 있었다는 사실조차 몰랐을 것이다. 그렇게 윗분의 눈치를 보며 위험을 회피하는 사람들 때문에 얼마나 많은 사업기회가 사라지는지 그 누구도 다 알 수 없으리라.

캡틴티스

보스의 절대적인 권위에 굴복하는 것은 당장 처세에 도움이 될 수도 있다. 그러나 조직의 미래와 운명을 두고 볼 때 권위에 무조건 굴복하는 것은 조직을 심각한 상황에 빠뜨릴 수도 있다. 비행기 사고 전문가들에 의하면 기장의 권위에 눌려 부기장과 기관사가 기장의 잘못을 뻔히 보면서도 가만히 있는 것이 비행기 사고의 원인조사과정에서 숱하게 발견된다고 한다. 이 때문에 조종실 내의 민주적인 분위기와 원활한 대화가 사고예방의 바탕이라는 것이 정설로 되었다.

1982년 차가운 눈보라가 몰아친 워싱턴DC 공항에서 에어 플로리다 플라이트는 관제탑의 출발신호를 오랫동안 기다리고 있었다.

부조종사: 저기 얼음 붙은 날개를 점검해봐야겠어요. 너무 오래 있었잖아요
기장: 안 돼요, 바로 출발해야 해요.
부조종사: (기기를 점검하며) 그러면 안 될 것 같은데요…….
기장: 어허, 괜찮다니까요.
부조종사: 음……, 알겠습니다.
굉음을 내며 이륙한 비행기는 고도를 유지하려고 애쓰지만 얼마 되지 않아 비행기의 소음은 점점 더 커진다.
부조종사: 기장님, 어떻게 해요? 추락하고 있어요.
기장: 나도 알아요!

기장과 부조종사 그리고 76명의 승객을 태운 비행기는 꽁꽁 언 포토맥강으로 추락하였고 탑승자 전원이 소중한 목숨을 잃고 말았다. 이렇게 기장이 명백하게 잘못된 결정을 내리는데도 함께 일하는 부기장이 반대하지 못하는 현상을 '캡틴티스Captaintis'라고 부른다. 이러한 캡틴티스 현상은 기업조직에서 크고 작게 얼마나 많은지 모른다. 캡틴티스 현상에서 벗어나 편안한 분위기에서 상사와 원활한 대화가 될 때 리더와 팔로워 모두가 성공하게 되는 것이다.

'내'가 회사의 주인이다

나는 철이 들고 나서는 새로운 회사에 입사할 때마다 이렇게 결심했다.

"이제부터 나는 이 회사의 주인이다. 회사에 좋고 필요한 일이라면 아무것도 두려워 말고 일하자. 설령 보스와 의견이 달라도 회사에 필요한 일이면 물러서지 말자. 그러다가 해고되어도 그래야 한다. 내가 회사의 주인이니까."

나는 달을 가리키는 보스의 손가락만 바라보지 않고 보스가 품은 달을 품겠다는 결심을 했다. 나도 수많은 보스와 일을 해봤고, 또 누군가의 보스로 일했다. 이런 경험에서 얻은 결론은 스스로 주인처럼 일해야 쓸데없이 눈치나 보지 않고 성과 창출에 몰입할 수 있다는 것이다.

간혹 직원들이나 임원들로부터 CEO의 생각이 너무 자주 바뀌어서 맞춰가며 일하기가 너무 어렵다는 하소연을 들은 적이 있다. 나는 그게 당연하다고 설명했다. 자신의 삶을 전부 회사에 건 CEO인데 매 순간 '회사가 좋아지려면 무엇을 해야 할까?' 고민할 것이다. 회사 경영에 도움이 될 최상의 방법을 찾는 과정에서 이런저런 시도를 할 수밖에 없지 않은가? 보스도 어차피 모든 문제 해결의 솔루션을 꿰고 있는 신도 아니지 않은가 말이다. 보스가 달을 가리킨다며 손가락을 내미는데, 정작 달은 바라보지 못하고 손가락 끝만 바라보고 있으니 보스가 변덕스러워 보이지만 실제 속내는 바뀐 것이 없다고 설명했다.

실제로 보스와의 의사소통이 어려워서 잘못된 결정을 하거나 의사결정의 타이밍을 놓치는 경우도 많이 볼 수 있다. 보스는 자신의 의견을 말한 것뿐이다. 그런데 임직원들은 그것을 지시로 받아들여 그대로 이행한다. 명백하게 잘못된 의사결정임에도 아무런 문제 제기 없이 따른 것이다. 나중에 이 의사결정으로 일을 그르쳤을 때 과연 보스의 지시대로 하는 바람에 망쳤다고 말할 수 있을까? 그게 과연 보스만의 잘못일까? 경영현장에서 캡틴티스 사례가 얼마나 많은가?

회사의 녹을 먹고 있다면 회사를 망칠 수도 있는 상황은 목을 걸고라도 막아야 하지 않을까? 경우에 따라서는 보스의 단순한 의견 제시가 아니라 명령이라고 해도 막기 위해 노력해야 하는 게 맞지 않을까?

'내가 만약 보스라면 어떤 사람을 원할까?'라고 생각해보아야 한다. 내가 틀릴 수도 있는데 내 의견에 무조건 따르고 군소리 없이 실행하는 사람을 원할까? 잘못을 용감하게 지적하고 나보다 더 고민한 흔적을 보여주는 제안을 하는 사람을 애타게 찾지 않을까?

"과감한 말로 면전에서 쟁간爭諫하는 자를 보지 못하였으며 또 말하는 것이 절실切實 강직剛直하지 않다. 한 사람이 옳다 하면 다 옳다 하고 한 사람이 그르다 하면 다 그르다 한다."

1425년 12월 『세종실록』에 기록된 내용이다. 절실은 꼭 필요한 주제를 말하는 것을 이르고 강직은 말을 꺼내고 꼭 관철하려는 태도를 말한다. 절실 강직하게 말하지 못하고 그저 주위 눈치나 보는 신하들의 모습에 세종은 개탄해 마지않았던 것이다. 오늘날도 당신의 보스는 세종처럼 절실 강직하게 말하는 사람을 목마르게 찾고 있을 것이다.

의견을 굽히고 보스의 의견을 따라야 하는 경우도 많을 것이다. 보스가 당신보다 경험이나 통찰력에서 앞선 부분이 있으니 당연한 일이다. 당신 또한 모든 것을 알고 있지 못하다. 그래서 대화 과정에서 미처 몰랐던 것을 깨우치면 수긍할 수밖에 없는 경우가 생긴다. 당신의 제안과 설득에도 보스가 다른 판단을 내릴 수도 있다. 그럴 때 당신 생각을 명백하게 밝히고 함께 논의해서 결론이 나면 그대로 따라주어야 할 때도 있다. 당신도 부하직원들과 의견이 달라서 길게 토론을 하다가 당신 의견대로 따라달라고 말하는 때도 있지 않은가? 하지만 당신이 보기에 명백하게 잘못된 지시임에도 군소리 없이 따르는 일은 없어야 한다.

리더십은 상사의 전유물이 아니다

보스와의 만남을 적극적으로 가지는 것이 좋다. 될 수 있으면 편안하게 보고를 하고 업무 협의를 하라. 어차피 회사에서 일하는 동안 보스의 지원이 없으면 일이 제대로 진행되기 어렵다. 한참 일을 하는 도중에 갑자기 그게 잘못됐다고 하면 얼마나 당황스럽겠는가. 그러므로 가능하면 일의 초기 단계부터 보스에게 보고하고 의견을 구하면서 서로의 생각을 맞추려 적극적으로 노력하라. 보스와 큰 그림에 합의해야 당신이 실행과정에서 소신껏 결정을 내릴 수 있다. 그리고 필요한 보스의 지원도 쉽게 받을 수 있다.

누구나 자신의 보스에게도 리더십을 발휘해야 한다. 리더십은 상사의 전유물이 아니다. 일의 상황에 따라 리드하는 사람이 리더십을 발휘하는 것이다. 때로는 부하가 일을 주도할 수 있다. 그 일에 관해서는 부하라도 리더십을 발휘하며 조직과 업무를 이끌어야 하고 자기 보스까지도 지원군으로 끌어들여 성과를 만들어야 한다. 그래야 살아 있는 조직이 되는 것이다.

"보스에게 업무상 리더십을 발휘하라."

리더는 이 말을 기억해야 한다. 당신의 부하들에게도 똑같이 가르치라. 그들이 당신을 리드하는 상황이 벌어지고, 또 말단 사원까지도 자신의 업무영역에서는 보스를 리드하는 문화가 만들어지면 조직이 살아나고 탁월한 성과는 따라오는 것이다.

황제에게도 당당하게

한나라의 문제文帝가 하루는 민심을 살피려고 궁 밖으로 나왔다. 황제의 행렬이 어느 다리에 도착했을 때 갑자기 한 사내가 다리 밑에서 달려나오는 바람에 말이 놀라 날뛰었다. 황제가 탄 마차의 말도 예외는 아니었다. 갑작스러운 상황에 황제도 매우 놀랐다. 호위병들은 급히 그 사내를 붙잡아 법 집행관 장석지에게 보냈다.

혹시라도 황제의 목숨을 노린 게 아닌지 심문을 하던 장석지는 사내로부터 일이 벌어진 이유를 들었다. 알고 보니 그 사내는 시골에서 올라온 지 얼마 되지 않았다. 마침 황제가 지나간다는 이야기를 들은 그는 너무 당황한 나머지 다리 밑으로 몸을 숨겼다. 그리고 한참 시간이 지났다고 생각이 들자 이제 행차는 지나갔으리라 여기고 밖으로 나왔다. 그런데 황제의 마차가 눈앞에 있는 바람에 겁에 질려 달아났다.

장석지는 그 사내의 이야기가 거짓이 아니라고 판단하고 가벼운 벌금으로 처벌을 끝냈다. 황제는 나중에 이 사실을 알고 크게 화를 냈다. 마차가 크게 흔들려 자칫 자신이 다칠 수도 있었는데 고작 벌금형으로 처벌했다고 나무란 것이다. 황제의 호통에도 장석지는 두려워하지 않고 그저 법대로 했을 뿐이라고 당당히 자신의 생각을 밝혔다. 법은 천자라 해도 공공의 것으로 지켜야 한다는 조언도 마다하지 않고 진언을 올렸다고 한다.

장석지가 법의 공정한 집행을 말하며 황제에게 올바르게 리더십을 발휘하였던 것이다. 그렇지 않았다면 결과는 어떻게 됐겠는가? 애꿎은 사내는 감히 황제를 놀라게 했다는 이유만으로 죽음을 면치 못했을 수도 있다. 그리고 나라의 법치는 원칙도 없이 표류하게 됐을 것이고, 한나라는 황제의 위세에 눌려 법이 사문화되고 오로지 황제의 말 한마디로 움직이는 허약한 나라가 되었으리라.

보스에게 관리당하면 곤란하다

많은 사람이 보스에게 관리당한다. 업무지시를 받고 지시받은 업무에 대해 보고를 하며 상사로부터 관리를 받는다. 그래서 일이 피곤하고 삶도 피폐해진다. 관리당하는 사람은 늘 피곤할 수밖에 없다. 그러나 보스에게 리더십을 발휘하고 그를 당신의 강력한 지원자로 끌어들이면 상황이 달라진다.

생각해보라. 보스는 당신보다 현장업무에 대해 더 많은 시간을 투입할 수 없다. 그만큼 당신의 업무에 대해서는 당신이 보스보다 더 많은 생각과 연구를 하고 노력을 기울일 수 있다. 그래서 보스를 리드하는 것이 가능하다. 보스가 아직 생각하지 못한 것들을 제시하고 실행에 옮길 수 있는 유리한 입장을 잘 활용하면 된다. 보스는 많은 경험과 높은 안목을 가지고 있다. 하지만 업무의 모든 것에 당신보다 더 많은 시간을 투입할 수는 없기 때문이다.

일의 주도권은 늘 당신이 쥐어야 한다. 그래야 보스를 리드할 수 있다. 자신의 일에 보스를 끌어들이고 일을 만들어갈 줄 아는 직원이야말로 조직이 절대로 필요로 하는 진정한 리더십을 발휘하는 인재이다. 이런 인재가 많은 조직이 살아 있는 조직이고 성과를 창출하는 조직이다.

보스를 리드할 줄 아는 인재들은 통찰력과 경험을 갖춘 보스를 '활용'할 줄 안다. 보스는 현장 업무의 성과를 올리기 위해 다양한 경험과 통찰력에서 나오는 조언을 해줄 수 있다. 그리고 회사 안팎의 여러 자원을 동원할 수 있는 능력을 갖춘 사람이다. 이런 보스의 도움을 얻어낼 수 있다면, 실수를 줄일 수 있고 일도 수월하게 성사시킬 수 있다. 보스에게 리더십 발휘만 잘 해도 한결 수월하게 성과를 창출할 수 있는데 많은 사람이 보스에게 관리당하는 신세에 머물고 있다.

보스를 리드하기 위해서는 보스에게 평소에 일과 관련한 진행사항을 자주 입력시키고 조언을 구하며 서로의 생각 방향을 맞춰두는 노력을 계속 기울여야 한다. 그래야 보스의 도움이 필요한 상황이 될 때 시기적절하게 도움을 요청하고 지원받을 수 있기 때문이다.

지시받아야 일을 하는 것이 아니라 스스로 일을 찾아서 하며 보스까지 리드하는 인재들이 가득한 조직이야말로 최강의 조직이다.

03

리더보다 더 빨리
판단하고 움직여라

보스는 성질이 급하다

많은 CEO의 특징 중 한 가지는 성질이 급하다는 것이다. 머릿속에서 생각난 것을 급히 말하고 어서 빨리 결과물을 만들어오라고 하는 경우가 많다. 내가 경험한 보스들도 대부분 성격이 급했다. 직원들은 급한 성격의 보스에 맞추느라 몹시 힘들어했다. 그러나 나는 힘들지 않았다. 이런 내가 직원들로서는 쉽게 이해가 되지 않았나 보다.

"불같이 성미 급한 분을 모시고 일하기가 어렵지 않으세요?"

"전혀 아닌데요. 내가 더 성미가 급하니 어려울 이유가 없지요."

그리고 직원에게 반문했다.

"보스들이 왜 성미가 급한지 알아요?"

매번 성격이 급한 보스 때문에 힘들다고 하면서도 정작 이유를 모르고 있었다. 나는 그 이유를 설명했다.

"CEO는 회사에 애정이 크니 일이 생기면 남들보다 더 집중해서 생각하지요. 어떤 이슈에 대해 투입하는 시간과 에너지가 커요. 그러니 결론도 빠르고 행동도 빠를 수밖에 없어요. 다른 사람이 보기에는 너무 빠르게 결론을 내리고 행동을 하는 것처럼 보일 뿐이지요."

우리가 보기에는 성급해 보여도 보스 본인의 시계로는 아주 정상적인 속도로 생각하고 행동하는 것이다. 그래서 보스의 성격이 급하다고 불평할 게 아니라 보스가 생각하는 정상적인 속도보다 더 빨리 움직일 필요가 있다. 당신이 어떤 일에 대해서 보스와 이야기를 나누면 그 후부터는 보스보다 당신이 그 일을 생각할 시간이 더 많다. 보스는 당신과 이야기한 일 말고도 살펴봐야 할 게 너무나 많기 때문이다. 반면에 당신은 그 일에 더 많은 시간과 에너지를 투입할 수 있는 처지이니 더 빠른 게 당연하지 않은가. 때로는 보스가 당황할 정도로 빨리 판단하고 움직여 보라. 보스는 자기 말에 고분고분한 것보다 당신이 일에 더 많이 집중하고 고민해서 빨리 움직이는 것을 좋아하리라.

당신은 성미 급한 보스보다 더 빨라야 한다. 허둥지둥 일을 빨리 처리하라는 게 아니다. 평소에 자신의 업무를 완벽하게 장악하고 일이 주어질 때 보스보다 더 집중해야 한다는 것이다. 그래야 어떤 지시가 떨어지더라도 한 발 앞서 해결 방안을 제시하고 재빨리 실행에 옮길 수 있지 않겠는가? 당신의 조직 또한 당신보다 빠른 사람들로 채워보라.

문제는 이슈 선점이다

기업은 직원들에게 회사의 주인이라는 생각으로 일하라는 말을
많이 한다. 그런데 구체적으로 어떻게 해야 주인의식을 가지고 일
하는 것인지가 모호하다. 무조건 최선을 다하는 게 주인의식인가?
열심히만 일한다는 것은 머슴에 가깝지 않은가?

주인과 머슴의 차이는 앞으로 해야 할 일을 능동적으로 찾아서
하느냐에 있다. 주인은 당연히 미리 앞서서 일을 만들고 하나씩 실
행한다. 머슴은 주어진 일에만 최선을 다할 뿐이다. 주인은 끊임없
이 이슈를 제기한다. 즉 무엇을 할 것인지, 어떤 게 중요한 것인지
를 생각하고 일거리를 만들어낸다. 머슴으로서는 죽을 맛이다. 겨
우 일을 끝내고 나면 또다시 힘을 써야 하는 일들이 줄줄이 기다리
고 있다.

회사에서도 시키는 일만 하는 직원은 힘들어 죽을 맛이라고 투
덜댄다. 신명 나게 일하는 것은 어렵다. 당연히 회사에 출근하는
게 고역이고 월요병에 시달리는 것이다. 하지만 자신이 직접 아이
디어를 내서 일을 주도하는 직원은 생기발랄하다. 연일 계속되는
야근도 자처하고 성과를 창출한다. 그리고 성취감을 만끽하며 머
슴이 아닌 주인의 기분으로 회사생활을 즐긴다.

조선을 건국한 창업자는 이성계이다. 그러나 조선 건국의 신화
를 정교하게 시나리오로 작성하여 추진한 인물은 정도전이었다.

그는 이성계의 참모였지만 결코 주군과 가신의 복종관계로 지내지 않았다. 새로운 왕조의 탄생을 주저하는 이성계를 설득하고 기운이 다한 고려 왕조를 지키려는 세력들을 견제하는 등 모든 이슈를 선점하여 주군을 이끌었다.

정도전은 주군인 이성계와 자신의 관계를 유방과 장량에 비유했다. 그는 한나라를 세운 유방이 장량을 이용한 것이 아니라 장량이 유방을 이용하여 자신이 만들고 싶은 나라를 세웠다는 말에 빗대어 자신의 존재감을 표현했다. 즉 자신도 이성계의 참모로 활용된 게 아니라 자신이 이성계를 선택하고 이용하여 새로운 국가를 만들었다는 것이다.

정도전의 말처럼 회사에서도 시키는 일만 하지 말고 자신이 회사를 꾸려간다는 생각을 해야 한다. CEO가 당신을 이용하여 회사를 키우는 게 아니라 당신이 CEO의 힘과 통찰력을 활용하여 회사를 키운다는 마인드가 필요하다. 그래야 부속품과 같은 존재감에서 벗어날 수 있고 보스를 리드할 수 있다.

나도 보스에게 이슈를 먼저 제기하고 일을 추진하고는 했다. 내가 회사에서 일하면서 추진했던 대부분의 변화는 내가 먼저 움직여서 만든 것들이다. 그래서 보스에게 쫓기는 경우가 거의 없었다. 일방적인 간섭도 받지 않았고 눈치도 보지 않았다. 보스가 채근하기 전에 미리 이슈를 제기하라. 그렇지 않은 경우에도 보스가 제기하는 이슈의 주도권을 장악하라. 이슈를 선점하고 보스를 이끌 수 있다는 사실조차 깨닫지 못하고 끌려다니는 직원이 얼마나 많은가? 피터 드러커의 말은 정곡을 찌른다.

"관리자는 상사를 다루는 일이 얼마나 중요한지 깨닫기는커녕 상사를 다룰 수 있다는 사실조차 믿지 않는다. 관리자는 상사에 대해 불평만 늘어놓을 뿐 다루려고 애쓰지 않는다."

04

나의 능력이
내 존재가치다

당신의 운명은 당신 손에 있다

"운명은 용기 있는 사람에게 약하고 비겁한 사람에게는 강하다."

로마 시대의 정치가이자 철학자인 세네카가 한 말이다. 나는 경영자로서 국내와 외국의 어려운 사업을 책임지고 경영하면서 많은 어려운 상황에 부딪혔다. 심지어 취임 직후 "임원들의 무덤에 오신 소감이 어떠하십니까?"라는 직원들의 질문을 들은 적도 있다.

전임자 가운데 몇 사람이 좋지 않은 모양으로 회사를 떠나거나 다른 곳으로 좌천되는 것을 보았기 때문에 직원들 사이에서는 '임원들의 무덤'으로 불렸던 모양이다. 그러나 나는 조직의 잠재된 힘을 끌어내 성과를 만들면서 겁 없이 도전했고 꽤 좋은 결과를 내면서 나름 승승장구했다. 이런 과정에서 나의 능력부족으로 또는 주위의 질시 때문에 공격을 받는 때도 있었다. 어느 날 팀장 한 사람이 심각한 얼굴로 조심스럽게 물었다.

"괜찮으십니까?"

"뜬금없이 뭐가 괜찮다는 거지요?"

그는 우물쭈물하다가 말했다. 내가 곧 해임된다는 소문이 파다하게 퍼져 있다는 것이다. 뜬금없는 이야기를 듣고 왜 그런 이야기가 나왔는지 좀 더 캐물었다. 들어보니 최근에 나와 업무상 의견이 달랐던 한 사람이 회장에게 내가 회사를 좌지우지하려 든다고 자극했던 모양이다.

그 말을 들은 회장은 화를 내며 그렇게 회사를 자기 마음대로 주무른다면 그대로 둘 수 없다고 했다는 것이다. 그 이야기를 들은 임원이 가까운 몇몇 사람에게 이 사실을 전달했고 순식간에 소문이 퍼져 나갔던 것이다. 대강의 사정을 들은 나는 정색을 하고 말했다.

"똑똑히 들어두세요. 팀장이라면 이 정도 사안은 스스로 판단할 수 있어야 하는 겁니다. 내가 회사를 떠나고 안 떠나고는 내가 결정합니다. 내가 회사에 부가가치를 만들어내고 있는 한, 그 누구도 나를 해임하지 못합니다. 내가 만들어내는 부가가치가 아직은 있어서 난 안전하니 걱정하지 마세요."

회사를 위해 부가가치를 만들어내고 있다고 인정받으면 아무런 문제가 생기지 않는다고 생각했다. 적어도 회사는 그 정도로 합리적이라고 믿었다. 그래서 소문에 신경을 쓰지 않았던 것이다.

이 일이 있고 나서 4개월이 지난 시점에 당시 부사장으로 사업
군 총괄 CEO 역할을 하던 나는 최고위직급인 사장으로 승진했다.
해고는커녕 회사에서 존재감이 더 커진 것이다. 회장은 엉뚱한 자
극에 순간적인 반응을 보였지만, 결국은 내가 회사를 위해 부가가
치를 만들어내고 있음을 알고 그것을 인정해준 것이다.

당신이 비록 언제든 해고될 수 있는 월급쟁이라도 프로 스포츠
선수처럼 당신의 가치는 스스로 결정하는 것이다. 합리적인 보스
라면 가치를 창출하는 당신을 기분 따라 해고하지는 않는다.

개인이 곧 하나의 기업이다

직원은 회사에 고용된 존재이다. 그러나 조금 더 깊이 생각해보
면 기업조직에서 일하는 개인도 하나의 기업이다. 직원 각자는 개
인 기업이고, 기업은 임금을 주고 그 개인 기업의 서비스를 구매하
는 것이다. 따라서 당신이 높은 가치를 창출하는 서비스를 상대적
으로 낮은 가격에 제공하면 구매자인 회사는 당신을 고용할 가능
성이 그만큼 커진다. 그러므로 서비스 공급자인 개인은 자신이 지
불받는 가격을 뛰어넘는 가치를 창출하는 것을 보여줘야 한다.

미국 메이저리그 팀 뉴욕 양키스는 최고의 명문구단으로 꼽힌
다. 수많은 스타가 즐비했던 구단이고, 월드시리즈에서 가장 많이
우승한 팀이다. 그러나 늘 양지에 있을 수는 없는 노릇이라 20세
기 말미에는 단 한 번도 우승을 하지 못해 체면을 구기고 말았다.
그 기간 구단주인 스타인브레너는 팀의 성적이 좋지 않다는 이유

로 야구단 단장과 감독을 비롯해 코치와 선수까지 수시로 갈아치웠다. 오죽하면 언론에서 뉴욕 양키스 구단주의 취미가 감독 갈아치우기라고 비꼴 정도였다.

오랜 기간 우승을 못하고 구단이 어수선한 가운데 조 토레 감독이 부임했다. 그는 변덕스러운 구단주와 엄청난 몸값을 자랑하는 스타플레이어 선수들 틈에서 자신의 존재가치를 증명해야만 했다. 뛰어난 선수들이 모였다고 해서 무조건 우승이 보장되는 것은 아니다.

조 토레 감독은 선수들의 복잡한 심리를 이해하고 관리하여 잘 리드했고 팀워크도 몰라보게 좋아졌다. 새롭게 체질을 바꾼 뉴욕 양키스는 조 토레 감독이 있는 동안 4차례나 월드시리즈에서 우승했다. 그는 롱런했다. 괴짜 구단주로 악명 높았던 스타인브레너조차도 조 토레 감독이 뛰어난 성과를 올리자 함부로 다룰 수가 없었다.

히틀러는 성질이 불같고 자신의 권위가 침해되는 것에 몹시 민감해서 명령에 불복종하는 사람은 가차 없이 처단하고는 했다. 그러나 한 사람 예외가 있었는데 바로 롬멜 장군이었다. 롬멜은 군사작전을 놓고 수차례 독일군 최고수뇌부와 대립했다. 그런데도 히틀러는 롬멜의 선택이 최선이고 더 나은 대안이 없다고 시인함으로써 그에 대한 신뢰를 표현했다.

이상과 같은 새로운 조직 운영 패러다임을 적용하여 소프트 파워를 강화시키면 당신도 탁월한 성과를 만드는 퍼포먼스 부스터가 되리라. 마치 롬멜 장군이 '임무형 지휘체계'를 완벽에 가깝게 구현하여 최강의 군대를 만들었던 것처럼 새로운 패러다임으로 직원들의 가슴속에 잠재된 힘을 분출시키는 부스터! 독자들이 모두 퍼포먼스 부스터가 되어 지불받는 가격을 훨씬 뛰어넘는 가치제공자가 되기를 간절히 바란다.

에필로그 인정받는 만큼 인재가 된다

『삼국지』는 유비를 덕은 있으나 무능하고 답답한 인물로 묘사하는 듯 보인다. 그럼에도 유비는 천하를 두고 조조와 겨루는 대국을 건설한다. 관우, 장비, 조자룡, 제갈량 같은 인재들이 유비와 같은 뜻을 품고 그 뜻을 이루기 위해 모든 것을 쏟아 부었기 때문이다.

나는 시작하면서 강제력에만 의지하여 조직을 움직이는 것보다 더 좋고 효과적인 방법이 있다고 했다. 그 방법은 당신도 유비처럼 당신의 가치와 꿈을 공유하는 분신들로 조직을 채우는 것이다. 이를 위해서는 직원들의 이야기를 들어주고 깊은 관심을 보여주어야 한다.

그들과 함께 공유할 가치와 꿈을 만들어내야 한다. 그들이 전략과 실행과제를 추진하는 주역이 되게 해주어야 한다. 필요하면 당신의 보스에게조차 리더십을 발휘해야 한다. 그러면 직원들은 당신을 위해 손과 발뿐 아니라 뜨거운 가슴과 창의적인 머리까지 사용하여 성과를 창출하리라. 김춘수 시인의 시 「꽃」에는 다음과 같은 구절이 나온다.

내가 그의 이름을 불러주기 전에는
그는 다만
하나의 몸짓에 지나지 않았다.
내가 그의 이름을 불러 주었을 때

그는 나에게로 와서
꽃이 되었다

당신도 직원들의 이름을 불러 그들로 꽃피게 해야 한다. 이렇게 꽃으로 피어난 직원들이 가득 찬 조직을 만들어내면 탁월한 성과는 따라온다.

"자기보다 유능한 사람들이 자기를 위해 일하게 할 줄 알았던 사람, 여기 잠들다."

철강왕 앤드류 카네기의 묘비이다. 꽃으로 피어난 인재들이 당신을 위해 일하는 조직을 만들어내는 퍼포먼스 부스터가 이 땅 곳곳에 많이 일어나기를 간절히 기도한다.

부스터!

초판 1쇄 발행 2014년 5월 15일
초판 5쇄 발행 2018년 4월 16일

지은이 김종수
펴낸이 안현주

경영총괄 장치혁 **마케팅영업팀장** 안현영
편집 김춘길 **디자인** 표지 twoes 본문 dalakbang

펴낸곳 클라우드나인 **출판등록** 2013년 12월 12일(제2013-101호)
주소 우) 121-898 서울시 마포구 월드컵북로 4길 82(동교동) 신흥빌딩 6층
전화 02-332-8939 **팩스** 02-6008-8938
이메일 c9book@naver.com

값 15,000원
ISBN 979-11-951801-7-2 03320